"Ce que fait votre amie est son affaire"

"Comment avez-vous pu vous acoquiner avec cette Marie?" ajouta Ryan.

"Ne parlez pas d'elle de cette façon!" fit Gina en levant la main pour le gifler.

"Méfiez-vous!" lança-t-il. "Ce ne se serait pas la première fois que je giflerais une femme en retour."

"De quel droit jugez-vous les autres?" demanda Gina en colère.

"Je ne juge pas. Je mets en garde," expliqua-t-il. "Elle est capable de se débrouiller, elle."

"Et pas moi?" répliqua Gina sèchement.

"Non, à moins que cela ne vous dérange pas de sauter dans le lit d'un homme pour payer votre dîner!" dit-il d'un ton ironique.

"Vous êtes odieux!" s'écria Gi

Dans Collection Harlequin

Kay Thorpe

est l'auteur de

CHIMERES EN SIERRA LEONE (#3)
LE DERNIER DES MALLORY (#57)
LE SEIGNEUR DE L'AMAZONE (#72)
LE TEMOIN RETROUVE (#129)
LE DOUBLE VISAGE DU DESTIN (#144)
LA TRAVERSEE SANS RETOUR (#146)

UNE ILE A L'ABRI DES TEMPETES

Kay Thorpe

PARIS • MONTREAL • NEW YORK • TORONTO

Publié en décembre 1980

ISBN 0-373-49155-7

Dépôt légal 4e trimestre 1980
Bibliothèque nationale du Québec et Bibliothèque nationale
du Canada.

Imprimé au Canada—Printed in Canada

1

Un homme chauve et corpulent était assis à l'une des tables proches de la piscine. Une blonde en bikini jaune lui adressa un sourire. Sans bouger de son siège, il l'appela d'un geste de la main. Elle se dirigea vers lui sans hâte.

Gina surveillait la scène depuis son balcon du troisième étage. Dans des hôtels de luxe comme celui-ci, l'argent allait rarement de pair avec la jeunesse. Marie l'avait-elle réalisé?

Quand, dans l'avion qui les amenait aux Bahamas, Marie lui avait fait part de ses intentions, elle avait cru qu'elle plaisantait. Elle en était moins sûre maintenant.

Que savait-elle de Marie? Comme elle, la jeune fille était seule au monde. Elles travaillaient ensemble à Londres. Mais le fait de partager le même bureau ne révèle pas toutes les facettes d'une personnalité.

Marie lui avait confié qu'elle faisait des économies depuis deux ans. Son but était de s'offrir des vacances de rêve dans un palace... où elle se mettrait en quête d'un mari très riche.

Pendant deux ans elle s'était privée de tout. Gina n'aurait jamais eu autant de patience. Si elle avait pu s'offrir ce voyage, c'était grâce à l'argent qu'elle avait gagné à la loterie. Une grosse somme lui était tombée du ciel. Pendant des jours et des jours, au bureau, on lui avait donné des conseils pour l'utilisation de cette petite fortune.

Pour finir, Marie l'avait emporté : la jeune fille partait pour les Bahamas. Pourquoi Gina ne l'accompagnerait-elle pas? C'est seulement dans l'avion que Gina s'était étonnée. Pour quelle raison Marie avait-elle soudain craint de partir seule?

Elle lui avait posé la question. Marie avait eu alors un étrange petit sourire :

— J'ai besoin d'un repoussoir, avait-elle expliqué franchement.

Gina n'avait pas très bien compris. Marie voulait-elle dire que sa blondeur mettrait en valeur sa beauté brune?

Lorsqu'elles étaient arrivées dans le hall de l'hôtel, elles avaient suscité une certaine curiosité. Probablement parce qu'elles étaient jeunes. Tous les clients semblaient âgés. Gina avait eu l'impression de pénétrer dans une maison de retraite de luxe.

Abandonnant sa contemplation de la piscine, la jeune fille laissa son regard errer au loin. Derrière les cocotiers s'étendait une plage de sable blanc. Le jour tombait déjà. La mer devenait opaque.

Demain, elle irait nager dans l'eau tiède. Elle s'étendrait au soleil... Pour l'instant, elle allait descendre dîner dans le somptueux restaurant de l'hôtel. Son estomac lui disait qu'il était seulement l'heure de déjeuner... Il fallait qu'elle s'adapte au décalage horaire. Oh, après une bonne nuit, tout irait bien!

— Tu viens défaire tes valises? demanda Marie qui se trouvait dans la chambre. Je voudrais savoir ce que tu me laisseras comme place dans les placards.

— Range tes affaires sans t'occuper de moi, répondit Gina. Je n'ai pas apporté tellement de vêtements.

Elle rejoignit Marie dans la chambre luxueusement meublée.

— C'est fabuleux! s'exclama-t-elle. J'ai l'impression d'être devenue une milliardaire!

— Ce n'est pas mal... admit Marie. Heureusement que nous avons pu voyager par charter!

Gina était de cet avis. Si elle n'avait pas pu retenir une place dans un avion charter, elle n'aurait pas pu s'offrir ces vacances. Mais le voyage, plus l'hôtel, avaient déjà fait un grand trou dans son budget. Elle se demandait si elle aurait de quoi vivre pendant trois semaines. Car il lui restait tous ses repas à payer.

Elle regarda la silhouette de Marie avec envie. Celle-ci était vêtue d'un soutien-gorge et d'un slip minimum. Marie avait un corps magnifique. A côté d'elle, Gina se sentait dépourvue d'attrait.

— A quelle heure descendrons-nous dîner? demanda-t-elle.

— A neuf heures.

— Pas avant? Je commence à avoir faim!

— C'est de ta faute. Tu n'avais qu'à manger dans l'avion.

Gina ne répondit pas. Partager une chambre avec une fille qu'elle connaissait aussi peu n'allait pas être aussi simple qu'elle l'avait imaginé. Elles avaient seulement commencé à sympathiser trois semaines auparavant. Après avoir décidé de partir ensemble.

Etait-ce de l'amitié qu'elles éprouvaient l'une pour l'autre? Le mot était trop fort. Marie ne s'intéressait qu'à elle-même.

Gina défit ses valises, laissant un maximum de place pour les vêtements de Marie.

— Que porteras-tu ce soir? demanda-t-elle. Une robe longue ou une courte?

— Une longue, naturellement. On s'habille dans ce genre d'endroit...

Marie s'empara d'une robe de crêpe bleu à fines bretelles. Elle la tendit à Gina.

— Mets celle-ci. Elle ira bien avec tes yeux. C'est dommage que tu ne te sois pas fait éclaircir les cheveux avant de partir.

Elle détailla la jeune fille.

— Tu n'essaies pas de te mettre en valeur.

— Ce n'est pas moi qui cherche un mari, répliqua Gina.

Il y eut un soupçon de mépris dans la réponse de Marie :

— Alors tu finiras par épouser un petit employé de bureau. Et tu te retrouveras avec une bande de marmots accrochés à tes jupes.

Il y eut un silence. Gina fut la première à le rompre :

— Marie, pourquoi m'as-tu demandé de t'accompagner?

Marie haussa les épaules.

— Parce qu'on peut se méprendre sur les intentions d'une fille seule dans ce genre d'endroit.

— En réalité, tu veux faire comprendre que nous sommes ensemble. Mais chacune mène sa propre vie?

— A peu près, répondit Marie d'une voix indifférente.

Elles descendirent une heure après. Gina était habillée de bleu doux. Marie d'une robe orange. Toutes les têtes se retournaient sur elle.

Le restaurant était à moitié plein. Les portes donnant sur les terrasses étaient ouvertes. La lune se reflétait sur la mer. Au fond de la pièce se mouvait un orchestre. Quelques couples dansaient.

La décoration était extrêmement luxueuse. Depuis les drapés de soie, jusqu'aux chaises tapissées de velours, en passant par l'argenterie étincelante.

Les jeunes filles prirent place à une table éloignée de la piste de danse. Gina lança un coup d'œil autour d'elle. Sa robe ne supportait pas la comparaison avec les toilettes coûteuses qu'elle pouvait voir.

Celle de Marie non plus. Mais la jeune fille ne semblait pas s'en préoccuper. Elle avait suffisamment confiance en elle pour ne pas attacher d'importance à de tels détails. Gina aurait bien voulu se sentir un peu plus sûre d'elle-même.

Il y avait quelques jeunes. Mais pas de ceux avec

lesquels on lie connaissance sans façon. La plupart semblaient s'ennuyer à mourir. Pour eux, un tel dîner devait faire partie de la routine quotidienne.

Marie et elle étaient les seules jeunes femmes non accompagnées. Elle commença à penser que ce genre d'hôtel ne lui convenait pas. Elle n'avait pas du tout imaginé ses vacances dans une telle ambiance. Elle aurait préféré un petit hôtel simple. Mais il y en avait-il à New-Providence?

Elle jeta un coup d'œil au menu et eut une exclamation épouvantée. Les prix étaient exorbitants, même pour les mets les plus simples. Si elle prenait tous ses repas ici, elle dépenserait en moins de huit jours l'argent des trois semaines prévues.

Marie commanda deux Martini.

— Arrête de t'inquiéter, dit-elle à Gina. Si tu te débrouilles bien, tu n'auras pas un seul repas à payer.

— Tu veux dire qu'on me les offrira?

— Bien sûr. Il y a un homme sur ta gauche qui ne cesse de te regarder.

Involontairement, Gina tourna la tête. Elle rencontra le regard de l'homme qu'elle avait vu près de la piscine un peu plus tôt. La fille blonde qu'il avait appelée d'un simple signe était assise en face de lui. Mais il ne semblait guère s'en occuper. Un gros cigare était coincé entre ses lèvres épaisses. Les plis de graisse de sa nuque tombaient sur le col de son smoking blanc.

— Eh bien, merci! s'exclama Gina avec un frisson. De toute façon, il a déjà trouvé chaussure à son pied...

— Elle a au moins trente ans. Et il ne s'intéresse pas à elle. Il ne tardera pas à l'envoyer promener...

— Essaie d'attirer son attention, toi-même! siffla Gina avec colère.

Marie sourit.

— Il ne me plaît pas. Par contre, il y a deux hommes sur la terrasse qui m'intéresseraient d'avantage... Je me demande s'ils habitent l'hôtel ou s'ils sont seulement venus dîner.

— Va le leur demander!

Gina en avait assez. Ces vacances dont elle avait tant rêvé devenaient un cauchemar. Elles allaient être complètement ratées à cause de Marie.

— Je ne suis pas pressée, déclara celle-ci. S'ils n'habitent pas l'hôtel, inutile de faire des efforts. Nous le saurons demain.

Gina ne pouvait pas voir les hommes dont parlait Marie. De toute façon, elle n'avait pas l'intention de les regarder. Si Marie faisait leur connaissance, elle s'arrangerait pour les éviter.

Tout ce qu'elle voulait, c'était se baigner, se dorer au soleil et se reposer. Rien de tout cela ne coûtait cher. Et pour ses repas, elle pourrait probablement trouver des petits restaurants abordables.

Quand le maître d'hôtel vint prendre la commande, elle choisit les plats les moins coûteux. Marie se montra moins économe. Elle commanda ce qui lui plaisait, et demanda même une bouteille de vin.

Gina protesta.

— Je la paierai, rétorqua Marie. Cesse donc de te montrer aussi mesquine!

Gina rougit légèrement.

— Tu sais, si nous continuons ainsi, je n'aurai plus un sou d'ici peu!

— Je ne suis pas plus riche que toi, assura Marie. Si tu n'étais pas tellement idiote, nous pourrions nous débrouiller merveilleusement!

— Je suis peut-être idiote! lança Gina. Mais je ne veux pas me vendre pour un repas.

— Moi non plus, déclara Marie. Tu sais ce que je cherche...

Gina regarda autour d'elle.

— Tu ne trouveras jamais un mari ici.

— Le mariage n'est pas tout.

Le visage de Gina changea. Marie la regarda en haussant un sourcil.

— Je ne rentrerai pas à Londres à moins d'y être

absolument obligée. A défaut d'un mari, je m'arrangerai avec ce que je trouverai. Tout ce que je demande, c'est un homme riche.

Gina la regardait comme si c'était la première fois qu'elle la voyait vraiment.

— Tu ne parles pas sérieusement! s'exclama-t-elle.

— Bien sûr que si. Tu crois que je me suis serré la ceinture pendant deux ans pour rien?

— Mais pourquoi m'as-tu entraînée ici?

— Je te l'ai déjà dit. Ça fait mieux...

— Pourtant, la fille qui est avec cet énorme Américain est seule. Cela ne semble pas la troubler... Elle l'a dragué cet après-midi à la piscine.

— Je ne veux pas avoir l'air de chercher l'aventure comme elle, déclara Marie. Nous devons avoir l'air de deux amies en vacances. Evidemment, dès que je trouverai quelqu'un nous irons chacune de notre côté...

Gina secoua la tête.

— Tu as le droit de vivre comme tu l'entends, dit-elle enfin. Mais ne compte pas sur mon aide...

Il ne fallait pas que Marie gâche ses vacances!

Elle n'apprécia pas son repas comme il convenait. Malgré son prix. Ou bien à cause de son prix... Marie but presque tout le vin à elle seule. Cela ne sembla pas la troubler. Ses yeux brillèrent peut-être un peu plus.

Elle battit les pieds en cadence, suivant la musique, tout en regardant les danseurs.

— Ce n'est pas la pleine saison, remarqua-t-elle. En pleine saison, il doit y avoir trois fois plus de monde ici!

— Probablement, admit Gina. Pourquoi n'as-tu pas attendu pour venir?

L'expression de Marie changea.

— Tu sais, ces deux hommes sur la terrasse dont je te parlais tout à l'heure... L'un d'eux s'approche! Ne fais pas tout rater!

Gina se raidit. Un homme en smoking blanc se pencha vers Marie. Il était de taille moyenne et avait un visage relativement sympathique. Il devait avoir environ quarante-cinq ans.

— Excusez-moi de vous déranger, dit-il. Mon ami et moi voulions vous proposer de prendre un verre avec nous sur la terrasse.

Marie lui sourit.

— C'est très gentil de votre part, mais je ne crois pas que...

Son hésitation était celle d'une comédienne consommée.

— S'il vous plaît, venez! insista l'homme.

Il se tourna vers Gina.

— Etes-vous toutes deux Anglaises?

— Comment le savez-vous? ne put s'empêcher de s'étonner Gina.

— Je suis moi-même Anglais. Je reconnais mes compatriotes... Je m'appelle Neil Davids.

Marie fit les présentations.

— Nous sommes arrivées cet après-midi, expliqua-t-elle. Nous nous ressentons des effets du décalage horaire. Nous ne pourrons pas rester longtemps avec vous...

Elle se leva. Gina se trouva pratiquement obligée de la suivre. Elle n'avait pas envie d'accompagner cet homme. Mais elle ne se sentait pas non plus le courage de traverser la salle toute seule en direction de la sortie.

La terrasse se trouvait à quelques mètres. Un homme brun aux larges épaules était assis à une table. Quand il se tourna, Gina devina à son expression que l'initiative de son ami ne l'enchantait guère.

Il semblait toutefois résigné... Son visage était bien dessiné, avec un menton volontaire. Elle le reconnut brusquement.

— Ryan Barras! s'exclama-t-elle sans réfléchir.

— Eh bien, ta célébrité te suit partout! remarqua Neil Davids avec ironie.

— On le dirait...

Le regard de Ryan Barras s'attarda sur la jeune fille.

— Je suis très flatté, Mademoiselle...?

— Tierson, termina-t-elle sèchement. Gina Tierson.

— Et voici Marie! annonça Neil Davids avec bonne humeur. Elle sont arrivées aujourd'hui.

Il fit asseoir Gina en face de l'homme au regard gris sardonique. Puis il prit place aux côtés de Marie.

Le serveur qui vint prendre les commandes se montra très déférent. Il appelait Neil Davids « M. Davids ». Apparemment, ce dernier était un homme important.

Après le départ du serveur, Marie se tourna vers Gina.

— Alors tu connaissais déjà M. Barras, Gina? demanda-t-elle d'une voix étudiée.

— De nom, corrigea celui-ci.

Ses yeux ne quittaient pas le visage de Gina.

— Vous êtes donc une passionnée de lecture, mademoiselle Tierson?

— Oh, puisque nous sommes tous Anglais, ne faisons pas tant de cérémonies, coupa Neil. Appelons-nous par nos prénoms!

Ryan Barras haussa les épaules.

— Si tu veux... Donc, vous êtes passionnée de lecture... Gina?

— Oui.

Elle fit un effort pour le regarder en face.

— Je suppose que vous en avez par-dessus la tête des gens qui vous disent avoir lu tous vos livres.

— Pas du tout. J'adore les compliments, assura-t-il avec ironie. Mais je m'étonne toutefois que vous m'ayez reconnu.

— Votre photographie figurait au dos de votre dernier ouvrage. Et je vous ai vu à la télévision il y a quelques mois.

— Vous avez une mémoire visuelle.

Son visage était difficile à oublier, se dit Gina. Comme ses manières... Elle se souvenait des réponses mordantes qu'il avait faites au journaliste chargé de l'interview. Celui-ci cherchait à le faire parler de sa vie privée.

Combien de femmes gravitaient autour de lui, lui avait-il demandé. En quelques mots incisifs, Ryan Barras l'avait remis en place. A trente-quatre ans, l'écrivain semblait environné de succès féminins. Il était toujours célibataire et entendait bien le rester.

Marie bavardait avec Neil Davids. Mais elle ne perdait rien de ce qui se disait à côté. Marie n'était pas du genre à laisser passer quelque chose pouvant lui servir.

Gina souhaitait se trouver à des lieues d'ici. Loin de cet homme dont les prunelles railleuses ne la quittaient pas. Elle sentait qu'il la jugeait avec mépris. Et elle le méritait.

— Allons, dites-moi le livre que vous préférez? demanda-t-il, ironique.

— « Les Chasseurs ».

Il leva les sourcils.

— Je n'aurais pas cru que ce livre pouvait intéresser une femme.

— Ecrivez-vous seulement pour les hommes? lança-t-elle.

— Pas consciemment. Mais le sujet me paraît être typiquement masculin.

— Simplement en surface. Certains traits sont communs aux deux sexes.

— Vous avez raison.

Il y avait un peu d'intérêt dans sa physionomie.

— Puis-je vous demander votre âge?

— J'ai vingt-trois ans. Je suis en âge de comprendre ce que vous laissiez entendre dans ce roman.

Il eut un petit sourire.

— « Les Chasseurs » a été publié il y a trois ans.

— J'ai commencé à vous lire il y a quelques mois. J'ai trouvé vos livres dans une bibliothèque.

— Et moi qui pensais avoir trouvé une cliente!

— Vos livres ne sont pas bon marché!

Elle aurait voulu se mordre la langue. Dans un hôtel

aussi luxueux, il était préférable de ne pas parler d'argent. Elle se sentit rougir.

— Le prochain sera aussi cher que les précédents, déclara-t-il moqueusement.

— Quand sortira-t-il? s'enquit la jeune fille.

— Le mois prochain. Voulez-vous un exemplaire?

— Oh non! protesta-t-elle.

Elle se tut brusquement.

— Je veux dire... reprit-elle. Ce serait merveilleux, naturellement. Mais je ne m'attends pas...

— Il faut savoir ménager ses lectrices enthousiastes.

Il prit un calepin, un stylo d'or et la regarda d'un air interrogateur.

— Où devrais-je l'envoyer?

Elle lui donna son adresse avec réticence.

— Vous serez à Londres le mois prochain? s'enquit-il.

— Oui.

— Vous êtes en vacances?

— Oui, répéta-t-elle.

Marie écoutait. Visiblement, le tour qu'avait pris la conversation ne lui plaisait pas. Mais elle ne pouvait pas changer le sujet.

Ryan la regardait d'un air calculateur.

— C'est un long voyage pour un séjour de quinze jours.

— Nous restons trois semaines! rectifia Gina.

Elle se sentit ridicule.

— Oui, c'est un long voyage, admit-elle. Mais cela en vaut la peine. C'est tellement beau... Vous-même, resterez-vous longtemps aux Bahamas?

— J'y vis trois mois par an au minimum.

— Vous écrivez ici?

— Oui. J'ai besoin de solitude quand j'écris.

Elle se força à sourire.

— La solitude? Elle doit être difficile à trouver à Nassau.

— Je n'habite pas Nassau.

Il n'ajouta rien. Quand le serveur apporta les verres, il se rejeta en arrière dans son siège.

— A quoi allons-nous boire? demanda Neil.

Marie se mit à rire.

— Puisque nous sommes tous Anglais, buvons à la Reine!

— Et pourquoi pas aux amitiés? Aux anciennes et aux nouvelles?

Marie leva son verre. Leurs regards se rencontrèrent. Ryan ne toucha pas à son verre. Pas plus que Gina. L'odeur du cigare se mêlait au parfum de Marie. Sans parvenir toutefois à dominer les senteurs de la nuit. Les étoiles brillaient dans le ciel sombre.

Une semaine plut tôt, Gina rêvait d'un tel cadre. Maintenant, elle en faisait partie. Mais la réalité était moins merveilleuse que ses rêves.

— Voulez-vous marcher jusqu'à la plage? proposa Ryan.

Des couples flânaient dans les jardins. Elle hocha affirmativement la tête. Tout était préférable à cette conversation à bâtons rompus. D'autant plus que maintenant elle connaissait les intentions de Marie.

— Et vous deux, que faites-vous? s'enquit Ryan en se tournant vers Neil.

Celui-ci secoua la tête en souriant.

— Nous allons danser. A tout à l'heure...

Des marches menaient au jardin. Ryan les descendit et s'arrêta en bas pour attendre Gina. Il était très grand et bâti en athlète, avec de larges épaules et des hanches étroites.

Il était très séduisant. La jeune fille, malgré elle, n'était pas insensible à son charme. Elle n'était certainement pas la seule, se dit-elle.

Cette pensée l'attrista inexplicablement.

Ryan demeurait silencieux. Il marchait à ses côtés. Ses mains étaient profondément enfouies dans ses poches. Une légère brise soulevait les cheveux de Gina, leur donnant des reflets argentés dans le clair de lune.

— Vous allez avoir froid, remarqua-t-il soudain.
Elle se mit à rire.
— Pas par une nuit aussi douce!
— Elle est fraîche pour la région. C'est la basse saison, vous savez.
— Je sais. La saison des ouragans, d'après ce que j'ai lu.
— Vous auriez dû venir plus tard.
— Ce n'était pas possible. Je...
Elle s'interrompit. En même temps, elle s'en voulait. Pourquoi cherchait-elle à paraître ce qu'elle n'était pas?
Ils suivaient le sentier qui, à travers les cocotiers, menait à la plage. Celle-ci était déserte.
— Vous jouez un jeu dangereux, déclara soudain Ryan. J'espère que vous vous en rendez compte.
Elle prit une profonde inspiration.
— Que... que voulez-vous dire?
— Ne me prenez pas pour un imbécile. Vous vous trouvez dans un hôtel qui, manifestement, ne correspond pas à vos moyens. Or chacun sait que la région n'est pas dépourvue d'hommes fortunés.
Gina s'immobilisa et le fixa avec colère.
— Vous n'avez pas le droit de...
— Oh, je vous comprends parfaitement. Cela arrive tout le temps! Je ne dis pas que vous ne réussirez pas... Vous êtes jeune, jolie... et intelligente.
Il pinça les lèvres.
— Trop intelligente, aurais-je pensé, pour vous lancer dans une pareille entreprise. Comment avez-vous pu vous acoquiner avec une fille comme cette Marie?
— Ne parlez pas d'elle de cette façon!
— Ses intentions sont évidentes!
— Cela ne semble pas être l'avis de votre ami, rétorqua Gina.
— Neil sait parfaitement ce qu'il fait. Si cette fille s'y prend bien, il s'occupera d'elle pendant tout son séjour.
Gina leva la main. Elle allait le gifler. Mais il avait

prévenu son geste. Le poignet de la jeune fille se trouva immobilisé par une main de fer.

— Méfiez-vous! Ce ne serait pas la première fois que je giflerais une femme en retour!

— Cela ne m'étonnerait pas de vous!

Elle parvint à libérer sa main.

— De quel droit jugez-vous les autres? demanda-t-elle.

— Je ne juge pas. Je mets en garde... Ce que fait votre amie est son affaire. Elle est capable de se débrouiller, elle.

— Et pas moi?

— Non. A moins que cela ne vous dérange pas de sauter dans le lit d'un inconnu pour payer votre dîner.

— Vous êtes odieux!

Les larmes l'aveuglaient. Elle fit demi-tour, mais trébucha sur une pierre. Il voulut l'aider à reprendre son équilibre.

— Ne me touchez pas! Je ne veux pas de sollicitude!

Il remarqua la physionomie convulsée de fureur de la jeune fille. Son expression se modifia légèrement.

— Voyons si vous serez capable de dominer la situation dans laquelle vous vous êtes mise...

Il l'enlaça brusquement. Sa bouche était dure. Jamais elle n'avait été embrassée avec une telle brutalité. Quand il la lâcha, elle porta une main à ses lèvres meurtries.

— Ce n'est qu'un avant-goût, déclara-t-il. Avec d'autres, cela risque d'être beaucoup plus violent Vous croyez-vous de taille?

— Je n'ai jamais dit que j'étais intéressée! répondit-elle en tremblant. Vous n'aviez pas le droit de vous conduire ainsi.

— Vous en aviez besoin. Combien avez-vous d'argent?

— Assez pour vous prouver que vous avez tort.

— Je l'espère.

— Et de toute façon, en quoi mon sort vous regarde-t-il? Vous ne me connaissez même pas! s'exclama-t-elle, au bord des larmes.

— Disons qu'il s'agit d'un reste de galanterie.

Il l'étudia. Son visage se dessinait durement sous la lumière de la lune.

— Nous rentrons?

— Je suis parfaitement capable de rentrer seule.

— Il me faut de toute façon retourner à l'hôtel. Je dois prendre un taxi.

— Et... et votre ami?

— Je crois qu'il est préférable de ne pas le déranger.

— Je vous ai dit...

Il lui coupa la parole.

— Je me souviens de ce que vous m'avez dit. Mais vous ne m'avez pas convaincu. J'ai vu trop de filles du genre de votre amie pour ne pas me tromper.

Gina retint à temps la remarque mordante qui lui venait aux lèvres. Elle ne tenait pas à ce que se renouvelle la déplaisante expérience vécue quelques minutes auparavant.

Elle détestait cet homme. Il l'avait humiliée. Il l'avait traitée comme une fille en quête d'aventure sans lendemain.

Ils atteignirent la terrasse sans échanger un mot. Neil et Marie avaient disparu. Peut-être dansaient-ils toujours? Gina n'osa pas regarder. Elle sentait les yeux de Ryan posés sur elle.

Il prit congé d'elle dans le hall de l'hôtel.

— Au revoir. Si vous voyez Neil, pouvez-vous lui dire que je suis retourné au bateau?

— Je vais monter dans ma chambre. Je ne risque pas de le rencontrer.

Il lui adressa un sourire cynique.

— Rappelez-vous de mes avertissements. Vous n'êtes pas faite pour ce jeu.

Gina ne répondit pas. Cela n'en valait pas la peine... Elle lui tourna le dos. Quand les portes de l'ascenseur coulissèrent silencieusement devant elle, elle y pénétra sans jeter un coup d'œil en arrière.

La chambre était vide. Gina s'arrêta devant une glace. Ses lèvres étaient un peu enflées. Ses yeux assombris.

Elle avait envie de faire ses valises et de partir. Hélas, sa réservation sur un vol charter était déjà faite. Et lorsqu'on voyageait par charter, on n'avait pas la possibilité de modifier les dates. Elle se trouvait donc obligée de rester ici.

— Alors, ma fille, tâche de passer de bonnes vacances malgré tout! se dit-elle. Oublie cette soirée désagréable. Oublie Ryan Barras.

Quand Marie la rejoignit, une heure plus tard, elle était déjà au lit. Marie avait un petit sourire satisfait aux lèvres.

— Ce Neil me plaît, déclara-t-elle. Malheureusement il doit s'absenter pendant une semaine. Enfin, il reviendra!

Elle en semblait sûre. Sa confiance en elle avait monté d'un cran.

— Et toi? poursuivit-elle. Reverras-tu Ryan?

— Non.

Marie se mit à rire.

— C'est un homme séduisant. Mais sûrement trop autoritaire. Neil, lui est un vrai gentleman! Je pourrais presque tomber amoureuse de lui.

— Eh bien ne t'en prive pas! rétorqua Gina. Seulement, laisse-moi en dehors de tout ça!

— Oh, ne t'inquiète pas! Je ne pensais pas avoir autant de chance le premier soir... Allons, Gina! Cesse de faire la tête! Demain tu pourras aller nager, puisque tu ne t'intéresse à rien d'autre!

Heureusement, il y avait la plage! pensa Gina en enfouissant son visage dans l'oreiller. Les vacances ne font que commencer!

2

Au cours des deux jours suivants, Gina trouva mille raisons de se persuader qu'elle n'avait pas fait une erreur en venant aux Bahamas.

Le ciel était bleu, le temps magnifique, le paysage splendide...

Avec Marie, elle alla passer une journée à Nassau. La ville était très animée. Gina admira les légères voitures traînées par des chevaux coiffés de chapeaux de paille. Les calèches étaient ornées de cloches qui ne cessaient de carillonner.

Elles déjeunèrent à la terrasse d'un petit restaurant. Gina dut admettre que Marie était une agréable compagne, quand elle ne songeait pas à assurer son avenir par n'importe quel moyen. Pour le moment, elle se contentait d'attendre le retour de Neil Davids et ne cherchait pas à placer d'autres pions.

Elle refusait de se baigner. Par contre, elle passait ses journées auprès de la piscine, vêtue d'un bikini.

Il y avait la possibilité de faire du ski nautique. Gina aurait bien voulu s'entraîner, mais c'était très cher. Et ses réserves fondaient comme neige au soleil.

Elle essayait de ne pas trop penser à cela. Elle parviendrait bien à se débrouiller! Mais sûrement pas en adoptant les méthodes de Marie!

Celle-ci accepta de la suivre sur la plage au cours de l'après-midi du troisième jour. Elle était vêtue d'un minuscule bikini noir. Auprès d'elle, Gina se sentait presque trop habillée dans son maillot bleu.

Elles allèrent chercher des rafraîchissements au bar de la plage et s'installèrent sur des chaises longues à l'ombre des cocotiers.

Toutes deux étaient déjà légèrement bronzées. Leur peau dorait un peu plus chaque jour. Le soleil était trop brûlant pour pouvoir rester longtemps exposées à ses rayons.

— Tiens, un yacht... remarqua Marie.

Elle regardait la mer étincelante à travers ses lunettes de soleil. Gina suivit son regard.

— Ce n'est pas l'un des bateaux de l'hôtel, déclara-t-elle.

Le yacht vint se ranger le long de la jetée. Une corde frappa les planches.

Les deux hommes qui mirent pied à terre étaient tous deux jeunes et blonds. Ils étaient vêtus de la même façon, de jeans et de tee-shirts. Ils se dirigèrent vers le bar, tout en examinant la plage.

Quelques minutes plus tard, un verre à la main, ils s'approchaient des jeunes filles.

— Bonjour! lança l'un d'eux d'un ton décontracté. Il fait un peu plus frais à l'ombre... Pouvons-nous nous asseoir près de vous?

— Bien sûr, répondit Marie. Vous avez un magnifique yacht!

— Ah oui...?

Il s'assit auprès d'elle. L'autre s'installa à côté de Gina. Tous deux devaient avoir un peu plus de vingt-cinq ans.

— Je m'appelle Sven, commença celui qui était près de Gina.

— Et moi Rafe, fit l'autre. Etes-vous toutes deux Anglaises?

— Oui. Sven... c'est suédois, non?

— Tout juste, dit-il avec un sourire.

Son accent était à peine prononcé. Gina ne put s'empêcher de le trouver sympathique. Il était jeune, sociable et très à l'aise, sans se montrer envahissant.

Rafe appela le serveur.

— Que prenez-vous? demanda-t-il aux jeunes filles. Un rhum-coca?

— Seulement du coca pour moi, fit Gina.

Il lui adressa une petite grimace.

— Une goutte de rhum ne vous fera pas de mal!

— Je préfère boire du coca dans la journée.

— Buvez moins dans la journée, la cirrhose vous sera épargnée! lança Sven avec nonchalance. Peut-être devrions-nous essayer, Rafe.

— Fais comme tu veux. Laisse-moi ruiner ma santé comme je l'entends!

Il examina Marie en fronçant légèrement les sourcils.

— Etes-vous aussi au régime sans alcool?

— Oh non! s'exclama-t-elle en souriant. Donnez-moi un double rhum-coca!

— A qui appartient le bateau? s'enquit Gina.

Ce fut Rafe qui répondit :

— A nous deux...

Il marqua une pause :

— Vous aimeriez faire un tour?

— Ce n'était pas pour cela que je posais la question! s'empressa de répondre Gina.

Marie lui lança un coup d'œil exaspéré.

— Si toi tu ne veux pas, moi je suis prête à embarquer!

— Extra! s'écria Rafe.

Il se tourna vers Sven l'espace d'une seconde avant d'ajouter :

— Nous nous rendons à une réception. Pourquoi ne viendriez-vous pas avec nous?

— Habillées de cette façon? demanda Marie en riant.

— Bien sûr. C'est sur une plage! Tout le monde sera vêtu de manière très décontractée. N'est-ce pas, Sven?

— Oui. Venez donc, c'est une bonne idée! Vous serez accueillies à bras ouverts!

— Est-ce loin d'ici?

— Tout près. Nous pourrons vous ramener pour le dîner si vous voulez. Il y aura beaucoup de monde. Je suis sûr que l'ambiance vous plaira.

— Un cocktail sur la plage, murmura Marie. Il me semble que ça en vaut la peine...

Gina commença avec réticence :

— Je ne crois pas que...

Marie haussa les épaules, sarcastique.

— Ne sois pas aussi idiote! Tu peux tout de même t'accorder une heure ou deux de bon temps! Moi, j'ai envie de m'amuser!

Elle se tourna vers Rafe.

— J'y vais!

Sven se pencha vers Gina.

— Vous aussi, n'est-ce pas?

Sa voix était plaisante et persuasive.

— Vous n'allez pas rester toute seule ici!

Gina réfléchissait. Elle craignait que Marie ne décide de passer toute la soirée à cette réception. Si elle l'accompagnait, elle pourrait la persuader de rentrer avant la nuit. Et puis une réception sur une plage... c'était tentant! C'était peut-être l'occasion de rencontrer des jeunes du pays.

— Très bien, décida-t-elle. Je vous accompagne à condition que ce ne soit pas trop loin.

Les deux hommes échangèrent un bref coup d'œil.

— Partons maintenant, fit Rafe.

Il se leva et jeta deux billets sur le plateau du garçon qui approchait.

Gina et Marie revêtirent les légères chemises assorties à leurs maillots et se dirigèrent vers le ponton.

Gina se tenait sur la réserve. Tout était arrivé si rapidement qu'elle n'avait pas eu le temps de réfléchir. Mais les amitiés de vacances se nouaient si vite! Si l'invitation avait été faite de manière décontractée, c'était probablement parce qu'on procédait ainsi dans la région.

La cabine du yacht comportait deux couchettes, une table et une cuisinière à gaz. Tout semblait neuf. Les cuivres étincelaient dans le soleil.

A l'extérieur, dans le cockpit, il y avait des banquettes recouvertes d'épais coussins. Gina s'assit à côté de Marie et essaya d'apprécier la promenade. Elle ne pouvait plus reculer, maintenant. Elle avait accepté d'aller à cette réception. Elle allait tenter de s'amuser.

Pourtant, ces deux hommes la mettaient vaguement mal à l'aise. Des yachts de ce genre coûtaient très cher. Celui-ci était neuf, de toute évidence. Quel était donc le métier de ces hommes qui se trouvaient libres au milieu de la semaine? Elle sentait qu'il y avait là quelque chose d'étrange.

Marie posa la question directement :

— Sans indiscrétion, que faites-vous dans la vie?

De nouveau, ils échangèrent un coup d'œil. Rafe éclata de rire en mettant les gaz à fond.

— Nous en faisons le moins possible! assura-t-il. N'est-ce pas, Sven?

Cela ne sembla pas perturber Marie.

— Je suppose qu'on peut se débrouiller facilement par ici, murmura-t-elle sans sembler s'adresser à qui que ce soit en particulier.

Sven lui adressa un rapide sourire.

— Ça dépend... déclara-t-il. Une cigarette?

Il se tourna vers Gina :

— Fumez-vous?

Gina ne fumait pratiquement jamais. Mais elle prit l'une des cigarettes qu'on lui offrait. Le pont vibrait sous la semelle de ses sandales. Le bateau prenait de la vitesse. Ils se dirigeaient droit vers le large. Bientôt, probablement, ils tourneraient pour suivre parallèlement la côte.

— Allons-nous loin d'ici? demanda-t-elle.

Le yacht allait toujours tout droit, sans changer de cap.

— A cinquante kilomètres environ, décréta Sven. Dans une île appartenant à des amis. C'est un endroit idéal pour les réceptions! Il n'y a pas de voisins pour se plaindre du bruit.

Les doutes de Gina devinrent soudain des craintes.

— Vous aviez dit que ce n'était pas loin!

— Ce n'est pas loin. Nous y serons d'ici une heure et demie...

L'agitation de la jeune fille ne semblait pas le troubler.

— Voulez-vous boire quelque chose?

— Je veux rentrer! Marie...

Sa voix tremblait légèrement.

— Marie, elle, ne veut pas rentrer! se moqua Sven. Marie veut aller à la réception.

La jeune fille haussa les épaules

— Maintenant que nous sommes parties...

— Mais il nous faudra immédiatement faire demi-tour, si nous voulons revenir pour dîner! s'exclama Gina. Cela ne vaut pas la peine de faire un tel voyage si...

Personne ne faisait attention à ce qu'elle disait.

— Mais pourquoi vous tracasser pour le dîner! fit Sven. Il y aura à manger là-bas! Allons, du calme, ma chérie! Soyez aussi à l'aise que votre amie et appréciez la vie! Ne vous inquiétez pas : vous rentrerez!

« Quand cela me conviendra », faillit ajouter Gina. Elle le regarda d'un air impuissant. Puis elle se tourna vers Rafe qui était au gouvernail. Mais aucun secours ne pouvait venir de ces hommes.

A côté d'elle, Marie fumait d'un air décontracté. Gina se demanda si ses réactions n'étaient pas exagérées. Elle tenta de mettre de l'ordre dans ses pensées.

Elle aurait dû refuser l'invitation. Mais il était trop tard. Il y avait-il de quoi s'inquiéter? Elles resteraient probablement absentes plus longtemps que prévu

Cependant il leur faudrait bien rentrer au cours de la soirée. Sinon on s'inquiéterait de leur disparition à l'hôtel.

— Je ne crois pas avoir beaucoup de choix, dit-elle enfin. Je déteste être trompée, voilà tout!

Sven parut amusé.

— Seriez-vous venue si vous aviez su où avait lieu la réception?

— Non. Mais..

— Eh bien voilà! lança-t-il en guise de conclusion. Vous devriez nous remercier de vous distraire. C'est une drôle d'idée de venir en vacances et de rester sans rien faire!

— C'est bien mon avis, assura Marie.

Elle alla vers Rafe qui tenait toujours le gouvernail.

— Je peux conduire?

Elle se glissa devant lui et s'empara du gouvernail. Rafe qui était demeuré derrière elle, posa ses mains sur ses hanches.

— J'ai toujours eu envie de conduire un engin de ce genre, murmura-t-elle.

Gina essayait de se mettre au diapason. Elle bavarda avec les autres, mais son cœur n'y était pas.

Bientôt une île entourée de récifs de corail apparut. Rafe semblait bien connaître les lieux. Il dirigea le bateau dans une passe, entre les récifs. Ils se trouvèrent alors dans l'eau calme et verte du lagon Doucement, le yacht vint se ranger le long d'une jetée de bois, au bord d'une plage de sable blanc bordée de cocotiers.

Derrière ceux-ci se trouvait une maison à un seul étage. Une véranda en faisait le tour.

Il y avait beaucoup d'autres bateaux amarrés à la jetée. Certains avaient été tirés sur le sable.

Toute une foule se tenait sous la véranda et sur la plage devant la maison. Quelqu'un les aperçut et agita son verre. Des bruits de conversation leur parvenaient, mêlées à des bribes de musique.

— Sommes-nous les derniers? demanda Marie.

Rafe haussa les épaules.

Peut-être que oui, peut-être que non. Les gens vont et viennent comme ils l'entendent.

Gina sauta sur la jetée.

— Combien de temps cette réception doit-elle durer?

— Personne ne le sait. La dernière fois, c'était trois jours. Celle-ci a commencé hier soir

— Trois jours!

Elle s'immobilisa et le fixa d'un air consterné,

— Vous voulez dire que tous ces gens-là pourront passer le week-end ici?

— Certains. C'est la grande liberté!

Sven passa un bras autour des épaules de la jeune fille. Il resserra son étreinte quand elle se raidit.

— Ne commence pas à te montrer désagréable! Viens t'amuser!

Elle se força à marcher à son pas. Elle aurait voulu se dégager de ce bras qui pesait sur ses épaules. Mais ce n'était pas le moment de faire un scandale. Il lui fallait attendre le moment propice pour fausser la compagnie à Sven. Puisque les gens ne cessaient d'aller et venir, elle trouverait bien quelqu'un acceptant de la ramener à New-Providence. Elle ne se soucierait pas de Marie. On les arrêta plusieurs fois dans leur chemin vers la maison. Les exclamations de bienvenue étaient souvent pleines de sous-entendus. Sven répondait de la même manière. Il ne se souciait même pas de présenter les jeunes filles.

Marie et Rafe se perdirent dans la foule. Quelqu'un plaça un verre dans la main de Gina Elle le renifla avant de le poser sur une table.

— Je n'aime pas le gin.

— Je vais te chercher un rhum-coca, déclara Sven avec gentillesse. Attends-moi ici. Je reviens tout de suite.

Il disparut. Un homme assis par terre détailla Gina d'un air plein de préméditation. Il avait environ cinquante ans, avec un visage mou et lourd. Il semblait déjà terriblement ivre.

Gina détourna la tête. Elle espérait qu'il ne lui viendrait pas à l'idée de l'approcher. Elle essaya de trouver Marie dans la foule. Sans succès.

Il y avait beaucoup d'hommes dans l'assemblée. Tous d'âges divers. Tandis que les femmes étaient très jeunes. Aucune n'avait plus de vingt-cinq ans.

A quelques pas, une fille de dix-huit ou dix-neuf ans s'accrochait au cou d'un homme assez âgé pour être son grand-père. Elle portait une mini-robe en crochet. Sous celle-ci, elle portait un slip couleur chair. Et rien d'autre.

L'homme l'embrassa. Puis l'entraîna vers la maison. Il était impossible de se tromper sur la signification de son regard.

Sven revint à ce moment-là. Il tendit un verre à Gina. Il était rouge et échevelé. Le coin de sa bouche était marqué de rouge à lèvres.

— Ne reste pas ici! Bois.. Ton amie Marie n'a pas l'air de s'ennuyer!

Gina porta le verre à ses lèvres. L'odeur du rhum était si forte qu'elle couvrait celle du coca.

— C'est trop fort. Je ne peux pas boire ça...

Malgré la chaleur, elle frissonna en rencontrant le regard moqueur de Sven.

— Sven, je veux rentrer. Je n'aurais pas dû venir. Ce... ce n'est pas mon genre.

— Comment le sais-tu avant d'avoir essayé? Allons, viens, ma chérie! Pourquoi as-tu choisi de passer tes vacances aux Bahamas si ce n'est pas pour t'amuser?

— A cause du soleil, du paysage... Pour voyager, aussi, murmura-t-elle

— Ton amie a d'autres idées en tête!

— Oui, mais je l'ignorais avant d'arriver. Je ne la connaissais pas très bien. Nous travaillons dans le même bureau, et quand j'ai gagné...

Elle s'interrompit. Pourquoi cherchait-elle à expliquer cela à un homme qui s'en moquait visiblement?

— C'était une erreur, conclut-elle. Nous sommes trop différentes.

— Peut-être pas autant que tu le crois, assura Sven.

Il posa une main moite sur l'épaule de la jeune fille

— Si tu es ici, c'est parce que tu en avais envie, au fond. Tu es mignonne, Gina. Pas aussi exubérante que ton amie, mais j'aime un soupçon de réserve...

Il la força à relever la tête. Ses yeux détaillaient la jeune fille.

— Tous les deux, on pourra bien s'amuser. Tu verras... On va se donner du bon temps!

Gina se dégagea brusquement.

— Je n'en veux pas, de votre bon temps! Si vous refusez de me ramener à New-Providence, je trouverai bien quelqu'un qui acceptera...

— Parions!

Il s'appuya au mur, moqueur et dédaigneux à la fois.

— Essaie, si tu veux. J'attendrai.

Gina se dirigea vers la maison. Il ne chercha pas à la suivre. A l'intérieur, il y avait beaucoup de monde. Les gens étaient assis çà et là, et même par terre. Les meubles étaient luxueux. On devinait qu'il avait fallu beaucoup d'argent pour décorer cette maison.

Elle aperçut soudain Marie dans les bras de Rafe. Ils dansaient, étroitement enlacés. Elle comprit qu'il était inutile d'insister pour rentrer. Marie refuserait certainement...

Elle regarda autour d'elle, espérant rencontrer un visage amical. Il n'y en avait pas Quelqu'un essaya de l'agripper.

— C'est moi que tu cherches, chérie?

Elle se libéra sans même regarder l'homme qui titubait. Elle bouscula plusieurs personnes au passage, dans sa hâte à sortir. Quelqu'un éclata de rire derrière elle. Mais personne ne chercha à la suivre.

Elle traversa un corridor. De l'autre côté d'un vaste hall, elle poussa une porte. Elle se trouva dans une chambre vide. Avec un soupir de soulagement, elle se jeta sur l'un des lits recouverts de satin. Le soleil couchant éclairait la pièce d'une lueur rouge au travers des rideaux légers. Malheureusement, il n'y avait pas de clé sur la porte. Elle n'avait pas la possibilité de s'enfermer.

Qu'allait-elle faire? Elle n'en avait aucune idée. Le plus sage était de demeurer à l'écart et d'attendre que le calme revienne. Personne ne consentirait à l'aider, elle en était désormais persuadée. Peut-être plus tard Marie accepterait-elle d'insister pour rentrer à l'hôtel?

Il le faudrait bien. Elles ne pouvaient pas passer la nuit ici sans qu'on s'inquiète de leur sort. L'employé de la réception ne manquerait pas de s'étonner en constatant que leur clé figurait toujours au tableau.

Mais se tracasserait-il vraiment? Maintenant, elle en était moins sûre. Deux jeunes filles en vacances ne rentrant pas de la nuit à l'hôtel... Cela devait arriver tous les jours. Ici comme ailleurs.

C'était sa propre naïveté qui l'avait placée dans cette situation. Pour la première fois, elle se souvint des avertissements de Ryan Barras. Que dirait-il s'il la voyait ici!

— J'ai été idiote, se dit-elle amèrement. Il avait raison. Je n'étais pas de taille...

La nuit tomba très vite, comme à l'ordinaire. Gina évita d'allumer. Elle se recroquevilla sur le lit. Ses soucis trouveraient-ils bientôt une solution? Elle pouvait toujours menacer Sven de la dénoncer à la police s'il refusait de la ramener. Mais une semblable menace, dans cette île, risquait de ne pas être prise au sérieux.

Malgré elle, elle s'endormit. Elle s'éveilla en sursaut quand la porte s'ouvrit. Une violente lumière illumina la pièce.

Sven se tenait sur le seuil. Il vacillait légèrement. Son sourire n'était guère rassurant.

— Ainsi, c'est ici que tu te trouvais!

Il parlait d'une voix pâteuse.

— Au moins, ça nous fera gagner du temps!

Il ferma la porte et se dirigea vers le lit. Sa respiration

était rauque. Il sentait très fort le whisky. Gina eut un mouvement de dégoût.

Elle bondit de l'autre côté du lit quand il essaya de l'attraper. Elle courut vers la porte avant que Sven ait le temps de l'en empêcher. Ses intentions étaient plus qu'évidentes. Et personne ne se soucierait de lever le petit doigt pour venir à son secours. Même si elle hurlait.

Où allait-elle? Elle l'ignorait. Tout ce qu'elle souhaitait, c'était fuir Sven.

Elle trouva une porte donnant sur l'extérieur. A chaque instant elle s'attendait à ce que la main brutale de Sven s'abatte sur son épaule.

L'air de la nuit lui parut très frais. Sa peur diminua quelque peu.

Elle se trouvait devant la maison. Devant elle s'étendait une pelouse bordée d'arbustes et ornée de massifs de fleurs. Un peu plus loin, une pente douce couverte de végétation devait pouvoir lui servir de cachette.

La jeune fille courut à perdre haleine. Plus vite qu'elle n'avait jamais couru de sa vie. Elle craignait tant d'être vue depuis la maison!

Les buissons étaient moins épais qu'elle ne l'avait imaginé. Elle s'arrêta pour reprendre sa respiration, tendant l'oreille. La poursuivait-on? Apparemment non.

Elle se laissa tomber derrière un buisson. Comment allait-elle partir d'ici? Il n'était pas question qu'elle retourne dans cette maison pour y passer la nuit.

Mais où pouvait-elle aller? D'après ce qu'elle avait compris, l'île était déserte, à l'exception de cette habitation. Aucun voisin pour se plaindre du bruit, avait précisé Sven.

Elle était seule. Toute seule pour lutter contre cette bande de débauchés.

Après réflexion, elle décida qu'elle n'avait rien d'autre à faire qu'à attendre le lendemain. Marie songerait alors probablement à rentrer.

Et puis avec le jour, certains seraient peut-être dégrisés et accepteraient de la ramener à New-Providence.

Elle sommeilla, se réveillant en sursaut à chaque instant. La pression de l'air semblait s'alourdir. Enfin, les premières lueurs de l'aube apparurent. Le ciel prit une teinte cuivrée et bientôt le soleil apparut Une brume brouillait l'horizon.

Tout était très calme. Trop. Les feuillages ne bougeaient pas. La chaleur était torride

Depuis sa cachette, Gina dominait la maison. Il n'y avait pas signe de vie à l'intérieur.

Elle se décida à se diriger vers la plage. Elle marchait avec prudence à l'abri des cocotiers. Elle ne savait pas encore ce qu'elle allait faire.

Après une nuit passée dehors, elle se sentait à la fois courbaturée et épuisée. Elle rêvait d'une douche, mais rien au monde ne l'aurait fait retourner dans la maison.

Elle ne voulait pas risquer de se trouver face à Sven, avant de retrouver Marie.

Plusieurs bateaux étaient partis. Le yacht de Sven et de Rafe était toujours amarré au même endroit Sa vue lui donna une idée. Une idée qui au départ lui sembla risible. Puis peu à peu elle la trouva moins ridicule.

Pourquoi ne partirait-elle pas à bord de ce bateau? Hier, elle avait regardé Rafe au moment où il le mettait en marche. Cela lui avait paru incroyablement simple.

Marie elle-même avait tenu le gouvernail sans difficulté. Pour lancer le moteur, il suffisait de tourner un bouton. A peu près comme pour faire démarrer une voiture. Et elle avait vu où se trouvait la manette d'admission des gaz. Ils s'étaient dirigés vers le nord, tout droit depuis la plage qu'ils avaient quittée. Elle n'avait qu'à fixer un point sur la boussole. Plein sud, se dit-elle avec la totale confiance de l'ignorance.

Mais Marie, que deviendrait-elle? Gina s'obligea à se durcir. Marie méritait de rester dans l'île avec Rafe et Sven. Cela lui donnerait une bonne leçon. Tous les trois trouveraient bien le moyen de se faire reconduire. Quand ils se décideraient à partir...

A ce moment-là, elle serait en sécurité, à l'hôtel. Nul ne pourrait plus la menacer. Et s'ils essayaient, elle n'hésiterait pas à appeler la police à qui elle raconterait son séjour forcé dans l'île

Personne ne chercha à l'arrêter quand elle se dirigea vers la jetée. Pour la bonne raison que personne ne se montrait. Tout le monde devait dormir. Dans des « réceptions » de ce genre il fallait bien qu'il y ait de temps en temps des moments de répit.

Gina défit le nœud qui retenait le yacht au ponton. Elle dut immédiatement sauter dans le cockpit car, déjà, le bateau s'éloignait du bord, poussé par le courant.

Elle s'approcha du gouvernail et s'aperçut avec surprise qu'elle était déjà à plusieurs mètres de la jetée.

Elle parvint à faire démarrer le moteur du premier coup. Il gronda dans l'air calme. Elle jeta un coup d'œil vers la maison. Nul ne semblait l'avoir entendue. Ou bien ils avaient décidé de l'ignorer.

Avec précaution, elle ouvrit la manette d'admission des gaz. Le bateau parut se soulever hors de l'eau. Elle ralentit et crispa ses mains sur le gouvernail, dirigeant le yacht vers la passe entre les récifs.

Elle n'avait pas tenu compte du courant assez violent à cet endroit. Elle fit pivoter le bateau sur lui-même, sans trop bien savoir ce qu'elle faisait. La coque racla les récifs, et un instant plus tard, elle était en pleine mer.

Celle-ci était hérissée de petites vagues qui secouaient durement le bateau. Elle fixa l'horizon. A l'endroit où un peu auparavant elle avait vu une brume dense se pressaient maintenant de menaçants nuages sombres.

Elle tenta de se rassurer :

— Je n'ai pas à m'inquiéter. Avant que ces nuages n'éclatent, je serai arrivée!

Elle étudia le compas et prit la direction du sud. Elle était un peu déconcertée en constatant qu'il lui fallait sans cesse maintenir la roue pour que le bateau aille dans la bonne direction. Le courant, la marée et les vagues la déportaient.

Pour la première fois, elle s'inquiéta. New-Providence n'était pas une très grande île. Et si elle la manquait? Non, ce n'était pas possible... Peut-être n'arriverait-elle pas exactement sur la plage d'où elle était partie. Ce ne serait pas très grave.

Bien avant que la tempête n'arrive au-dessus de sa tête, elle avait réalisé que la conduite d'un bateau n'était pas aussi simple.

Le ciel était voilé en quelques secondes. Les vagues s'élevaient, de plus en plus hautes. Elle commença à avoir peur. Quand l'averse s'abattit, ce fut avec une telle violence qu'elle en perdit la respiration. En moins d'une seconde, elle fut trempée de la tête aux pieds.

A demi-aveuglée, elle sentit le gouvernail lui échapper des mains. Elle perdit l'équilibre. Le bateau tanguait et roulait sur la mer déchaînée. Elle se retrouva à genoux au fond du cockpit. La panique l'envahit.

Si le temps était resté beau, elle aurait pu atteindre New-Providence. Maintenant, elle n'avait plus guère d'espoir...

Elle avait fait une énorme bêtise en prenant ce bateau. Elle ne connaissait rien à la navigation. Pour une novice comme elle, le fait de se lancer dans une telle entreprise était insensé.

Elle rampa jusqu'au tableau de bord et coupa le moteur. Dans l'un des coffres, elle découvrit un gilet de sauvetage qu'elle enfila.

Elle aurait pu aller s'abriter de la pluie dans la cabine. Mais elle craignait que l'embarcation ne se retourne. Dans ce cas elle en aurait été prisonnière.

Maintenant, elle était livrée à son sort. S'en sortirait-elle vivante ou non? Elle était tellement malade, mouillée et gelée qu'elle s'en souciait à peine.

Combien d'heures s'écoulèrent avant que la pluie perdit de sa violence? Elle aurait été incapable de le dire. Elle avait eu le mal de mer et plusieurs fois, avait dû se pencher par-dessus bord. A ces moments-là, elle avait souhaité mourir.

Poussé par le vent et les vagues, le bateau cahotait en tous sens.

Gina jeta un coup d'œil autour d'elle. Elle ne voyait que les vagues grises, la mer déchaînée. Le ciel était noir, traversé d'éclairs menaçants.

Et puis il y avait un vacarme terrible qui sembla soudain s'amplifier. Brusquement inquiète, elle jeta un coup d'œil au-dessus de la coque.

Tout près de là, les vagues se brisaient sur les récifs avec une force indescriptible.

Des récifs? Cela signifiait que la terre était toute proche! Elle eut un cri de soulagement. Mais le désespoir l'envahit immédiatement.

Oui, il y avait une île toute proche. Mais elle était entourée de récifs. Et si le bateau était projeté dessus, il serait détruit en quelques instants.

Avec peine, elle réussit à se mettre debout et à conserver son équilibre en s'accrochant à la roue. Si elle parvenait à mettre le moteur en marche, elle avait une chance de s'éloigner.

C'était trop tard. Avant même que ses doigts aient eu le temps de tourner le bouton, le yacht heurtait violemment les coraux. Il monta à l'assaut du récif. Sa coque fut déchirée dans un bruit effrayant par les pointes acérées.

Gina tomba. Elle agrippa les barres métalliques qui gardaient l'extincteur en place et attendit, la respiration coupée. L'eau n'allait pas tarder à envahir le bateau. Elle allait couler.

Rien n'arriva. Le yacht continuait à avancer, poussé par la vague qui l'avait expédié au-dessus des coraux. Brusquement, il échoua dans un choc.

Gina se releva avec peine. Le bateau se trouvait à demi ensablé sur une plage, au bord d'un lagon. Sans perdre de temps, la jeune fille sauta hors du cockpit. En titubant, elle se dirigea vers la plage. Il pleuvait toujours. Elle ne se trouvait pas à New-Providence, c'était évident. Mais sur une île minuscule.

Elle était saine et sauve. N'était-ce pas le principal?

Un homme s'approchait. Avait-elle des visions? Un coup de vent la renversa. Elle tomba. Epuisée, elle tenta de se relever. Alors l'homme vêtu d'un ciré la prit dans ses bras.

Elle rencontra le regard de deux yeux gris. Un regard familier... Alors, pour la première fois de sa vie, elle s'évanouit.

3

Quand elle ouvrit les yeux, Gina constata qu'elle était allongée sur la plage. Avait-elle rêvé?

Ryan revint quelques secondes plus tard. Il s'agenouilla à ses côtés dans le sable humide.

— Excusez-moi de vous avoir abandonnée, dit-il en haussant la voix pour dominer le bruit du vent. Je voulais m'assurer qu'il n'y avait personne d'autre à bord.

Elle ferma les yeux. Il la reprit dans ses bras pour la transporter. Que faisait-il sur cette île? C'était incompréhensible...

— Le bateau... balbutia-t-elle. Il ne m'appartient pas!

— Il ne risque pas de s'envoler. Il est profondément échoué. Et d'après l'aspect de sa coque il n'est pas près de partir d'ici. Ne vous inquiétez pas pour cela! Vous avez eu de la chance d'arriver jusqu'ici sans faire naufrage!

— J'ai été prise dans l'ouragan, murmura-t-elle.

— Je sais. Vous avez failli périr.

Il baissa les yeux vers elle. Son visage était sardonique.

— Restez calme jusqu'à ce que nous soyons à l'abri. Alors nous pourrons parler.

Gina se laissait porter. Elle était incapable de marcher. Elle se sentait flotter dans l'irréel. Pourtant, Ryan était bien là. Et elle percevait contre son corps glacé les plis inconfortable de son ciré.

Elle ne portait plus son gilet de sauvetage. Il le lui avait probablement ôté pendant son évanouissement.

La maison se trouvait située à peu de distance de la plage. Elle était abritée par un rideau d'arbres. Ryan monta les quelques marches qui conduisaient à la véranda. Il poussa du pied une porte.

Un jeune chien se précipita vers lui.

— Pal ne vous fera pas de mal, dit-il.

Il aida la jeune fille à se remettre sur ses pieds. Il laissait un bras autour de sa taille pour la maintenir d'aplomb. Pal la reniflait curieusement.

— Venez, vous avez besoin d'un bain brûlant et de vêtements secs. Nous parlerons plus tard. Entendu?

Elle hocha la tête. Elle ne se sentait pas la force de parler. Ses genoux ne la portaient plus et elle tremblait des pieds à la tête. Le choc, probablement. Elle le subissait maintenant.

Elle se laissa conduire sans résister. Après avoir traversé un corridor, elle se trouva dans une salle de bains carrelée de jaune et de blanc. Ryan la laissa au milieu de la pièce. Il ouvrit les robinets en grand. Une vapeur dense envahit la pièce.

— Heureusement que j'ai laissé le générateur d'électricité fonctionner assez longtemps pour avoir de l'eau chaude, déclara-t-il. Je devais savoir que vous alliez venir.

Elle ne répondit pas. Il se retourna et détailla la silhouette tremblante.

— Je vais essayer de vous trouver quelques vêtements.

Après son départ, Gina essaya de rassembler ses esprits. Que faisait Ryan Barras dans cette île? Elle ne pouvait faire que des suppositions. Il lui avait dit qu'il avait besoin de solitude pour écrire. C'était probablement la raison de sa présence ici. Le plus extraordinaire était son naufrage, dans cette île, précisément.

Cette coïncidence était vraiment surprenante. Ryan lui-même paraissait stupéfait. Quand il l'avait reconnue, sur la plage, il avait semblé abasourdi.

Elle allait devoir lui expliquer beaucoup de choses. Cette pensée l'effrayait. Comment oserait-elle lui dire à quel point elle avait été stupide?

Elle se glissa dans l'eau chaude. Peu à peu, elle sentit que le sang recommençait à circuler dans ses jambes et au bout de ses doigts. Soudain, la porte s'ouvrit. Elle s'assit et croisa ses bras sur sa poitrine. Elle regarda Ryan, les yeux écarquillés.

— Ce sera sûrement trop grand, dit-il en jetant quelques vêtements sur la chaise en bambou. Mais je ne peux pas faire mieux.

Il la fixa. Un sourire cynique détendit les coins de sa bouche, quand il constata sa gêne.

— Vous n'êtes pas la première femme nue que je vois! Quand vous sortirez de l'eau, frottez-vous énergiquement avec une serviette afin d'activer votre circulation. Je vais préparer quelque chose à manger.

Il disparut. Il fallut un certain temps à la jeune fille pour retrouver ses esprits. Elle était très rouge. Il avait fait exprès d'entrer dans la salle de bains sans frapper!

Comment réagirait-il quand il saurait que ses avertissements n'avaient servi à rien? Oh, il l'avait déjà probablement deviné...

Elle enfila la chemise et le short qu'il lui avait prêtés. Elle dut rouler les manches et faire quelques nœuds pour parvenir à les mettre à sa taille. Elle n'avait pas de chaussures. Ses sandales étaient devenues des loques de cuir et de toile.

Elle rinça son bikini et le suspendit à un porte-serviettes. Puis elle se mit à la recherche de son hôte. Elle se raidissait, redoutant la confrontation.

Il apportait un plateau sur lequel étaient posés deux plats fumants.

— Venez par ici...

Elle le suivit dans une vaste salle de séjour. Le

parquet était jonché de tapis. Les meubles étaient confortables mais simples. Les flammes dansantes d'un grand feu brillaient dans la cheminée de pierre. Cela donnait une ambiance chaude à la pièce obscurcie par la tempête. Le chien ne se montrait pas.

Ryan posa le plateau sur une table proche de la cheminée. Il indiqua une chaise à la jeune fille.

— Asseyez-vous et mangez. Il ne fait pas vraiment assez froid pour un feu. Mais par un temps comme celui-ci, on a besoin d'un certain confort. N'est-ce pas votre avis?

Gina s'assit et tendit ses mains vers les flammes.

— Vous vous sentez mieux? lui demanda-t-il.

— Je me sentais mieux.

Et, sur un ton de reproche, elle déclara :

— Je n'ai pas l'habitude de voir les gens entrer dans une salle de bains sans frapper.

Il haussa les épaules.

— Vous auriez préféré que je laisse vos affaires par terre? Je ne sais si vous l'avez remarqué, mais c'est humide.

— De toute façon, c'est votre maison. Vous agissez comme bon vous semble.

— Si c'est ainsi que vous voulez voir les choses...

Il lui tendit une assiette pleine d'un épais ragoût.

— Mangez cela. Et racontez-moi ce que vous faisiez seule sur ce bateau.

Elle baissa les yeux sur l'assiette. Puis elle les leva vers Ryan.

— En mangeant?

— Nous n'avons pas besoin de faire de cérémonies. Allons, racontez-moi...

Elle avait songé à mettre au point une histoire assez éloignée de la réalité. Une histoire dans laquelle elle n'aurait pas un si vilain rôle. Mais sa franchise l'emporta. Ainsi que son orgueil...

Pourquoi ne lui dirait-elle pas la vérité? Elle ne se souciait pas de ce qu'il pensait d'elle.

Il écouta sans faire de commentaire. Elle lui narra toute son aventure. Depuis le moment où elle avait rencontré Sven et Rafe sur la plage.

Le visage de Ryan demeurait impassible. Il n'exprimait rien : ni sympathie, ni blâme. Mais quand elle cessa de parler, il déclara :

— Vous êtes la fille la plus stupide du monde. Ou bien la plus menteuse. Je ne le sais pas encore...

Elle se dressa.

— Je ne suis pas menteuse.

— Alors vous êtes stupide. Vous n'avez donc prêté aucune attention à mes mises en garde?

— Si. Mais je pensais que cette... cette situation était différente.

— Comment cela?

— Au départ, j'ai cru qu'ils se comportaient amicalement. Sans plus.

— Ainsi vous vous lancez dans l'inconnu avec deux garçons que vous n'aviez jamais vus auparavant? Deux garçons dont vous ne savez rien? Eh bien, ma chère, je prétends que vous avez cherché ce qui vous est arrivé!

— Merci, rétorqua-t-elle d'une voix glaciale. Vous êtes un homme. Vous vous rangez forcément de leur côté.

— C'est-à-dire que j'estime que les femmes sont juste bonnes pour s'amuser?

Il secoua la tête et ajouta :

— Ça dépend des femmes. Des gamines de votre genre sont tellement rares dans ces contrées... Une erreur sur la personne est excusable! A partir du moment où vous avez accepté de les suivre, ces garçons s'imaginaient que vous étiez consentante!

Gina reposa son assiette vide sur la table avec dignité.

— J'ai vingt-trois ans. Je suis loin d'être une gamine!

— Je ne parlais pas d'âge, mais de maturité. Enfin, j'espère que cette expérience vous aura appris quelque chose.

— Oh, j'apprends tout le temps, répondit-elle avec

amertume. J'ai même été embrassée par un écrivain célèbre l'autre soir... Sans la moindre tendresse, d'ailleurs.

Il l'examina sans hâte des pieds à la tête.

— Nous pourrons recommencer, déclara-t-il. Je n'ai pas encore fait l'amour avec un oursin.

Elle s'obligea à le regarder en face sans ciller.

— N'abîmez pas le mot « amour ». Il n'a rien à voir avec ce dont vous parlez.

— Ah oui?

Sa voix était sarcastique.

— Et quel mot faudrait-il employer?

— Des fredaines, peut-être, répliqua-t-elle avec mépris. Vos aventures sont bien connues, monsieur Barras. La dernière en date était une cover-girl américaine.

Les yeux gris se rétrécirent.

— Vous n'avez aucun sens de la discrétion. Vous devriez vous souvenir que vous êtes seule ici...

— Vous me menacez? demanda-t-elle avec calme.

— Si vous continuez ainsi, méfiez-vous. Je n'aime pas recevoir de leçons de la part de petites filles ignorantes.

— Oh, je suis assez âgée pour savoir beaucoup de choses. Surtout après avoir lu vos livres... Certaines scènes sont très explicites!

Elle était trop en colère pour mesurer ses paroles.

— Je suppose que les passages osés sont destinés à faire mieux vendre le livre?

Il la regardait comme s'il la voyait pour la première fois. Son expression était indéchiffrable.

— Continuez, dit-il. C'est intéressant.

— J'ai dit tout ce que j'avais à dire...

— Je ne le crois pas.

Gina se concentra, reprenant ses forces. Puisqu'il insistait, elle n'hésiterait pas à lui dire ce qu'elle pensait. Elle en avait assez de lui et de ces épouvantables vacances. Elle avait gaspillé une petite fortune pour venir ici. Et tout tournait mal.

Très bien, déclara-t-elle avec force. Je *méprise* les

gens comme vous. Des gens qui font ce qui leur chante parce qu'ils s'imaginent être dans une position supérieure. Vous êtes trop sûr de vous. L'autre soir, vous avez voulu jouer au directeur de conscience. Vous auriez pu me parler gentiment. Mais il a fallu que vous vous placiez sur un piédestal. Et cette manière insultante de souligner brutalement vos dires... Vous vous êtes réjoui de me remettre à ma place.

Il serrait durement les mâchoires.

— Et où pensez-vous que se trouve votre place?

— Là où j'ai envie d'être.

— Très bien...

Il se leva. Il était mince et musclé dans son jean et son tee-shirt. Ses larges épaules soulignaient sa force.

— Avez-vous eu assez à manger?

Le rapide changement de sujet la déconcerta. Elle le fixa. Elle commençait seulement à se rendre compte qu'elle avait été trop loin. Ses paroles étaient exactes, dans un certain sens. Cependant pourquoi l'avait-elle insulté?

— Oui... dit-elle enfin. Oui, merci.

— Je vais aller chercher le chien.

Il partit avec le plateau sans rien ajouter. Elle demeura assise. Elle pensait que son silence était plus explicite que n'importe quel discours.

Elle s'était en quelque sorte imposée à lui. Il l'avait aidée, il lui avait offert l'hospitalité. Et voilà comment elle le récompensait? Il devait être écœuré de son attitude.

Il était trop tard pour s'excuser. Voudrait-il seulement l'écouter?

Elle ne pourrait sûrement pas partir ce soir, se dit-elle en écoutant la pluie battre les fenêtres. Le vent était plus fort que jamais. Il soufflait en rafales sauvages. Il était difficile de croire que, la veille encore, il faisait un temps magnifique. Le changement était incroyable.

Ryan revint avec le chien. Celui-ci lança un long

regard à Gina. Il ne chercha pas à s'approcher d'elle. s'étendit devant le feu, les yeux fixés sur son maître

— Il va s'habituer à vous, déclara Ryan

— Quand croyez-vous que je pourrai rentrer? demanda Gina à mi-voix.

— Cela dépend du temps. Le vent n'est pas près de tomber. Et la mer est beaucoup trop dure pour l'affronter en bateau. Nous en avons pour vingt-quatre heures au minimum. Si ce n'est plus.

L'épouvante assombrit le regard de la jeune fille.

— Il y a déjà vingt-quatre heures que j'ai quitté l'hôtel! s'écria-t-elle. Est-il possible de faire connaître ma présence ici?

— Comment? Je n'ai ni radio, ni téléphone! Nous nous trouvons à environ quarante kilomètres au nord-est de Nassau. Nous sommes bloqués dans l'île par l'ouragan. Il faut que vous acceptiez cela.

— Au nord-est! répéta Gina

Elle comprenait maintenant que si elle n'était pas venue s'échouer sur cette île minuscule, elle aurait été ballotée en plein Atlantique. Où elle n'aurait sûrement pas tardé à couler.

Qu'étaient devenus Marie et les autres? Ils devaient attendre, eux aussi, que la tempête se calme pour regagner Nassau.

— Croyez-vous que le directeur de l'hôtel appellera la police en constatant notre absence? demanda-t-elle avec inquiétude.

— Oh, il attendra trois ou quatre jours avant de s'inquiéter.

Il haussa les épaules.

— Nous ne sommes pas en Angleterre. Personne n'attache d'importance au fait que vous occupiez votre chambre ou non. Mais vous la retrouverez un jour ou l'autre...

— Comment? Je n'ai pas vu d'autre bateau sur la plage

— Mon bateau se trouve amarré de l'autre côté.

Sa voix était sèche.

— Faites-moi confiance. Dès que le temps le permettra, je vous reconduirai. Entre-temps, il vous faudra sourire malgré tout. Et ne vous faites pas de souci! Il y a deux lits, ici!

Gina se mordit les lèvres. S'ils ne cessaient de se chamailler, l'ambiance allait devenir insupportable.

— Je regrette ce que j'ai dit tout à l'heure, dit-elle impulsivement. J'étais hors de moi. J'ai dit n'importe quoi.

Il la considéra longuement.

— N'y pensez plus.

— J'oublierai si vous oubliez également.

Une étincelle s'alluma dans ses yeux gris.

— J'ai déjà oublié, assura-t-il.

Il fallait bien qu'elle le croie sur parole. Pourtant cela lui semblait difficile... Etait-il vraiment aussi indifférent? Ou bien son manque d'expression signifiait-il un contrôle rigide de ses sentiments? Elle aurait presque préféré sa colère à cette étrange incertitude.

— Voulez-vous boire quelque chose? lui proposa-t-il.

Elle hésita.

— Puis-je faire un peu de café? demanda-t-elle.

— Je vais vous montrer où se trouve la cuisine. Ainsi vous pourrez vous débrouiller...

La cuisine était petite mais bien agencée. Il y avait une cuisinière à gaz et un réfrigérateur.

— Je n'entends pas le générateur, remarqua Gina quand Ryan alluma une ampoule. Je croyais qu'ils étaient très bruyants.

— Il se trouve à une certaine distance de la maison.

— Est-ce vous qui avez fait construire cette maison?

— Non. Je l'ai achetée à son propriétaire qui l'utilisait pour les week-ends.

Après avoir allumé le réchaud, il retourna dans la salle de séjour.

En attendant que l'eau se mette à bouillir, Gina essaya de récapituler la situation. Elle se trouvait sur une île. La tempête faisait rage. Il fallait bien qu'elle attende... Toutefois, elle s'inquiétait déjà à la pensée de son retour. Le bateau était-il très abîmé? Etait-il assuré? De toute façon, se dit-elle, Sven et Rafe étaient les véritables responsables! Peut-être à l'avenir se montreraient-ils plus prudents au moment de lancer des invitations.

Ryan était assis dans un fauteuil, un verre de whisky à la main. Elle fut surprise de constater qu'il avait mis ses sandales trempées devant le feu.

— Elles n'auraient pas séché très vite dans la salle de bains, déclara-t-il. Je ne peux pas vous proposer des chaussures : je chausse du quarante-quatre!

— Les mendiants ne peuvent pas se permettre d'être difficiles, remarqua la jeune fille en jetant un coup d'œil aux vêtements qu'elle portait. Et encore, j'ai de la chance dans mon malheur : vous auriez pu être énorme!

Il la fixa, elle rougit légèrement.

— Combien de temps cette tempête durera-t-elle? demanda-t-elle hâtivement. Vous devez avoir l'habitude des ouragans...

— Ils sont imprévisibles. Même si le vent tombe, la mer peut rester mauvaise. Je ne suis pas un navigateur assez expérimenté pour me lancer dans le mauvais temps. D'ordinaire je me rends à Nassau une fois par semaine pour me ravitailler. Mais il y a ici suffisamment de conserves pour ne pas s'inquiéter.

— Mais qu'arriverait-il si vous tombiez malade? Si vous aviez un accident? Vous ne pouvez contacter personne, et vous pourriez...

— Mourir? termina-t-il pour elle. Oh, si Neil ne me voit pas au bout d'une semaine il commencera à s'inquiéter.

— Vous devriez avoir un poste radio-émetteur.

— Ça me serait bien utile si je perds connaissance! Je préfère me sentir isolé. J'ai plus d'inspiration quand je suis sûr de ne pas être dérangé.

— J'essaierai de vous gêner le moins possible... murmura Gina, un peu mal à l'aise.

— Cela n'a plus d'importance maintenant. J'ai fini. Je n'ai plus que quelques corrections à faire.

Elle fut immédiatement intéressée.

— Quel est le sujet de votre nouveau roman?

— Je déteste parler de cela.

Il l'étudia. Son visage demeurait énigmatique.

— Les écrivains sont des gens à part, vous savez... Comme les artistes et les musiciens, nous avons tous nos marottes...

Il fit une pause. Sa voix changea :

— Il est temps que vous alliez au lit.

Elle lui lança un coup d'œil rapide. L'expression de l'écrivain n'avait pas changé.

Je vois des sous-entendus partout, même lorsqu'il n'y en a pas, se dit-elle.

— Je me sens assez fatiguée, avoua-t-elle. Il me semble que cette journée à été interminable!

— Et vous n'aviez probablement pas beaucoup dormi la nuit dernière!

Il se leva.

— Je vais chercher des draps et des couvertures. Terminez votre café.

Elle le suivit des yeux. Un pli se dessina entre ses sourcils.

Il semblait se comporter de manière tout à fait naturelle. Et pourtant quelque chose en lui l'inquiétait. C'était probablement dans son imagination...

Mais avait-il réellement oublié ce qu'elle lui avait dit un peu plus tôt? Ou bien s'en moquait-il complètement?

S'il se montrait gentil, c'était parce qu'ils se trouvaient tous deux coincés dans cette île.

Un grognement lui rappela qu'elle n'était pas seule. Pal avait levé la tête et la regardait fixement.

Le cœur de la jeune fille se mit à battre. Elle tenta de ne pas se laisser aller à la panique. Elle se força à regarder l'animal en face.

— Du calme, Pal, dit-elle doucement. Du calme... Je vais tâcher d'être discrète... Je sais que je suis une intruse, mais ce n'est pas de ma faute! Je partirai dès que je pourrai.

La queue du chien se mit à battre. Sa langue rose pendant hors de ses puissantes mâchoires. Au grognement succéda un gémissement, presque un murmure. Le chien se leva et vint placer sa truffe fraîche sur la main de la jeune fille.

— Oh, tu es un chien gentil, dit-elle en lui caressant la tête. Quand je pense que j'ai eu peur de toi...

— Eh bien, il ne t'a pas fallu longtemps pour t'apprivoiser, Pal! commenta Ryan, sarcastique.

Il se tenait sur le seuil.

— Depuis combien de temps l'avez-vous? s'enquit Gina.

— Il a deux ans. Je l'ai eu tout petit.

— Vous ne le laissez pas ici quand vous partez?

— Non, je ne le laisse pas. Neil s'en occupe.

— Vous ne lui manquez pas?

— Si, naturellement. Mais je ne peux pas l'emmener. Dans la plupart des pays il y a des règlements de quarantaine très stricts.

Il regardait le chien et la jeune fille avec une moue sarcastique. Il hocha la tête quand Pal, abandonna Gina, se dirigea vers lui.

— Ah, tu sais encore qui te donne ta pâtée!

— Vous vous sentiriez certainement très seul ici sans sa présence, déclara Gina.

Il eut un sourire.

— C'est un compagnon idéal. S'il savait faire le ménage, il serait absolument parfait!

Gina regarda autour d'elle.

— Je trouve votre maison bien entretenue.

— Vous changerez d'avis quand vous la verrez au soleil! Je ne suis pas ici pour astiquer!

La jeune fille réprima un bâillement.

— J'ai posé les draps sur votre lit, reprit Ryan Une couverture suffira-t-elle?

— Il ne fait pas froid!

— Venez, je vais vous montrer votre chambre...

Elle se trouvait à côté de celle de Ryan. Deux draps étaient pliés sur le matelas. C'était une pièce meublée seulement d'un lit, d'une table et d'une commode. Un épais tapis en recouvrait le parquet

— J'espère que vous trouverez le lit assez confortable, déclara Ryan.

Il demeurait sur le seuil de la porte.

— Vous sentez-vous remise de vos émotions? Vous avez vécu une expérience épuisante aujourd'hui!

— Tout va bien, assura-t-elle. Après une bonne nuit je serai en forme.

Elle hésita un instant.

— Je regrette de vous déranger ainsi.

— J'ajouterai le dérangement sur la facture, dit-il en riant.

Il demeura un instant silencieux. Puis il s'éclipsa :

— Bonne nuit, chérie... murmura-t-il.

Elle demeura immobile, les yeux fixés sur la porte close. « Chérie »... Cela ne voulait rien dire. Il utilisait probablement cette expression à tout instant. Pourtant le fait qu'il l'ait appelée ainsi signifiait qu'il ne lui en voulait plus.

Malgré sa fatigue, elle demeura éveillée longtemps avant de parvenir à s'endormir. Le vent soufflait toujours. La pluie ne cessait de tomber.

Mais la tempête ne l'inquiétait plus. Maintenant, elle était presque heureuse d'avoir débarqué sur cette île.

4

Le lendemain matin, la pluie avait cessé. De sombres nuages obscurcissaient toujours le ciel. Il faisait très chaud, très lourd. L'atmosphère était incroyablement humide.

L'odeur du bacon grillé parvint jusqu'aux narines de Gina quand elle sortit de la salle de bains.

Ryan était dans la cuisine. Il était vêtu d'un léger tee-shirt de coton blanc et d'un short blanc également. Ses jambes étaient solides et bronzées. Sa silhouette était svelte.

— Voulez-vous des œufs au bacon? demanda-t-il sans quitter sa poêle des yeux.

Oh oui, volontiers!

La jeune fille, jusqu'à cet instant, n'avait pas réalisé à quel point elle était affamée. Elle hésita un instant avant de demander timidement :

— Puis-je vous aider?

— Non, je préfère m'occuper de cela moi-même

Elle comprit qu'il était inutile d'insister.

Nous ne pourrons pas partir aujourd'hui, reprit Ryan. Il y a une forte houle.

— J'ai vu.

Elle s'efforça de paraître découragée.

— Je suis désolée de vous encombrer ainsi.

— Je ne me plains pas.

Il se tourna vers elle et lui adressa un sourire

— Le soleil a éclairci vos cheveux depuis notre première rencontre. Est-ce votre couleur naturelle?

— Bien sûr.

— Ne soyez pas aussi affirmative. La couleur des cheveux peut changer en une nuit. Un homme peut s'endormir auprès d'une brune et se réveiller à côté d'une rousse!

Gina se mit à rire.

— Cela vous est arrivé?

— Non. Parce que je préfère les blondes

Il ne semblait pas se moquer.

— Mais je n'ai jamais vu une blonde être aussi fraîche que vous dès le matin.

— Merci. .

Vous n'aimez pas les compliments? Voilà qui est inhabituel. Vos sandales sont sèches..

Elle commençait à s'habituer à sa façon brusque de changer de sujet. Elle alla chercher ses sandales. Les quelques remarques de Ryan la rendaient heureuse Etait-il sincère ou non? De toute façon, c'était agréable à entendre

— Tu sais, dit-elle à Pal qui l'avait suivie si je ne fais pas attention, je serais bien capable de tomber amoureuse de ton maître!

Elle se pencha et lui caressa le sommet de la tête. Le chien la regarda avec extase. Elle se comportait un peu de la même manière avec Ryan... Un regard, un petit compliment et elle fondait.

Elle se demanda ce qu'elle ressentirait s'il l'embrassait de nouveau. Pas comme l'autre nuit, quand il voulait lui donner une leçon Mais avec tendresse...

Elle devait reconnaître que ses avertissements s'étaient révélés justes. Il avait deviné son inexpérience et l'avait mise en garde. Un autre aurait pu en tirer avantage..

Il lui faudrait également le remercier pour cela.

Ils déjeunèrent dans la salle de séjour. Dans la

lumière matinale, la pièce était en effet poussiéreuse Elle se promit de faire un peu de ménage avant son départ Ryan ne s'en apercevrait probablement pas, à moins qu'il ne la voie armée d'un balai. Elle comprenait que de tels détails le laissent froid Il se consacrait entièrement à son travail.

Allez-vous vous installer à votre bureau ce matin? lui demanda-t-elle.

— Après avoir été jeté un coup d'œil à votre bateau. Et au mien... Je ne pense pas qu'il ait souffert de la tempête, mais on ne sait jamais. S'ils avaient subi une avarie, personne ne viendrait à notre secours Neil ne doit rentrer qu'en fin de semaine..

Je sais, dit-elle d'une voix absente Marie me l'a dit.

Il ne répondit pas. Elle leva les yeux et rougit.

— Vous aviez raison, admit-elle. Elle cherchait quelqu'un comme Neil... Je suppose qu'il est très riche

— Pas mal...

— Est-il marié?

— Il est veuf depuis dix ans. Je ne pense pas qu'il se remariera.

Et certainement pas avec une fille du genre de Marie, se dit Gina Mais Marie, d'après ses propres déclarations, était prête à se contenter d'autre chose. De toute façon, Neil Davids était assez âgé pour savoir ce qu'il avait à faire.

— Parlez-moi de vous, demanda Ryan sans préambule. Quel est votre métier?

— Je travaille pour une société de relations publiques.

Elle sourit en le voyant lever un sourcil

— Non, je ne suis pas public-relation moi-même. Je suis secrétaire. La société qui m'emploie s'occupe de la publicité de vos livres.

— Le monde est petit.. Voilà pourquoi vous m'avez reconnu si facilement. Aimez-vous votre travail?

— C'est intéressant. Varié aussi.

Il l'étudia pendant un long moment. Son visage avait durci.

— Et votre salaire vous permet de vous offrir des vacances aux Bahamas?

— Non. J'ai gagné à la loterie.

— Comment avez-vous connu Marie?

— Elle travaille pour la même société.

— Apparemment, elle est mieux payée que vous...

— Oui. Mais elle a économisé depuis longtemps pour faire ce voyage.

— Avec une idée en tête... Elle avait vu juste. Nassau convient parfaitement à une fille de son genre. Mais je n'arrive pas à comprendre pourquoi vous l'avez accompagnée.

— Elle avait besoin d'un repoussoir... Cela, elle ne me l'a avoué qu'une fois dans l'avion.

— Je vois... Vous auriez pu choisir un autre endroit que les Bahamas pour dépenser votre gros lot!

— Je suis de votre avis.

Gina considéra son interlocuteur. Elle devinait que cet homme risquait de la rendre malheureuse. Le hasard les avait réunis. Cependant il ne pouvait pas s'intéresser vraiment à elle. Les femmes qui retenaient son attention étaient des femmes très sophistiquées, très « dans le vent ».

— Vous êtes bien calme, ce matin, fit soudain Ryan. Qu'est-il arrivé depuis hier? Vous ne cessiez alors de m'attaquer sur tous les fronts...

Elle se mordit la lèvre.

— Je vous ai dit que je le regrettais.

— Trouvez-vous toujours mes scènes d'amour trop explicites?

Elle rougit.

— Je ne crois pas...

— Avez-vous jamais couché avec un homme?

Elle sentit son estomac se nouer.

— En quoi cela vous regarde-t-il?

— Effectivement, cela ne me regarde pas, cela m'intéresse. Je n'ai encore jamais rencontré une vierge de vingt-trois ans.

Gina poussa sa chaise en arrière.

— Vous n'allez pas dans les endroits adéquats.

Il eut un sourire cynique.

— Ne montez pas sur vos grands chevaux! Vous aviez raison au sujet des scènes d'amour osées : elles sont destinées à mieux faire vendre le livre. C'est le public qui les demande...

— Et vous donnez à vos lecteurs ce qu'ils veulent.

— Eh oui!

— En dépit de ces scènes, vos livres ont beaucoup de profondeur. Vous êtes un bon écrivain, Ryan. Parfois même un grand écrivain.

— Merci.

Il posa sa tasse de café et se leva.

— Je vais voir ces bateaux... Puisque j'ai préparé le petit déjeuner, je vous laisse ranger.

Il quitta la maison quelques minutes plus tard. Pal le suivait. Gina débarrassa la table et mit la vaisselle à tremper dans l'évier. Puis elle alla faire son lit.

Une glace lui renvoya son image. Ses pommettes étaient roses. Ses yeux étincelaient. Si elle avait ce visage animé, c'était grâce à Ryan... Elle n'avait jamais rencontré un homme comme lui auparavant et n'en rencontrerait probablement jamais. Cette pensée la désespéra.

Comment aurait-elle le courage de mener à nouveau sa petite vie ordinaire après toutes ces aventures?

Le lit de Ryan était déjà fait. Sa chambre était parfaitement rangée. Rien ne traînait. Elle se pencha pour lire le titre du livre posé sur sa table de nuit. Une enveloppe servant de marque en dépassait. Elle y jeta un coup d'œil. La suscription portait le numéro d'une boîte postale à Nassau. L'écriture était de toute évidence féminine. Il n'y avait pas de lettre à l'intérieur. Gina se sentit coupable de regarder... Mais la tentation était trop forte. S'il y avait eu une lettre, aurait-elle été assez indiscrète pour la lire? Elle tenta de se persuader que non. Mais la bataille aurait été dure...

Dès qu'il s'agissait de Ryan elle perdait la tête.

Il rentra une vingtaine de minutes plus tard et la rejoignit dans la cuisine où elle était en train de ranger la vaisselle.

— Le ciel s'éclaircit, annonça-t-il. Si nous avons un peu de chance, la mer se calmera ce soir.

— Alors je pourrai rentrer aujourd'hui?

— Sûrement pas. Il fera nuit à ce moment-là.

Il la regarda avant de demander :

— Avez-vous pensé à ce qui se passera quand vous rentrerez?

— Vous voulez parler du bateau?

— Oui, il faudra signaler où il se trouve.

— Vous m'avez déconseillé de porter plainte contre ses propriétaires...

— Vous perdriez votre temps. Vous avez embarqué de plein gré. Nul ne vous y a forcé.

Il marqua une pause.

— Voler et casser un bateau coûteux est autre chose!

— Et une tentative de viol? Ce n'est rien?

— Montrez-moi vos blessures...

Il se pencha.

— J'essaie simplement de vous faire comprendre comment les choses risquent de se passer. Croyez-vous que Marie vous soutiendrait?

— Je ne le pense pas, fit-elle avec amertume. Oh, tout cela est injuste!

— C'est la vie, déclara-t-il, cynique. Enfin, je verrai ce que je peux faire...

Gina lui lança un rapide coup d'œil.

— Connaissez-vous les policiers?

— Un peu. Neil a beaucoup plus d'influence que moi. Passez-moi cette vieille serviette, derrière la porte. Je vais essuyer Pal avant de le faire entrer.

Elle sortit sous la véranda avec Ryan. Les buissons fleuris qui entouraient la maison avaient été battus par la pluie et le vent. Quelques branches gisaient par terre. Mais il n'y avait pas trace de dommages irréparables.

De l'endroit où elle se trouvait, elle pouvait voir la mer entre les troncs des cocotiers. Les vagues continuaient à se briser furieusement sur les récifs. L'humidité de l'air était oppressante.

— L'île est-elle grande? demanda-t-elle sans tourner la tête.

— Environ un kilomètre sur un kilomètre et demi.

— Et il n'y a qu'une seule maison?

— Oui. Les précédents propriétaires aimaient également la solitude. Pour une tout autre raison.

— Vous possédez toute l'île.

— Exact...

Il essuya Pal et vint s'appuyer auprès d'elle à la rampe qui délimitait la véranda. Tout près. Mais sans la toucher. Il ouvrit un porte-cigarettes en or et lui offrit une cigarette.

Gina accepta et se pencha pour qu'il la lui allume avec son briquet. Il était en or également. Leurs mains se rencontrèrent et elle frissonna. Elle ressentait la proximité de Ryan dans toutes les fibres de son corps. Ses mains tremblaient.

— Je voudrais être en Angleterre, dit-elle d'une voix rauque. Je n'aurais jamais du partir.

— C'est à peu tard pour parler ainsi! Considérez cela comme une expérience. Au moins vous ne referez pas la même bêtise!

Soudain, il s'empara de la cigarette de la jeune fille et la jeta dans les buissons humides.

— Vous n'avez pas vraiment envie de fumer. Arrêter de faire des choses qui vous déplaisent!

Gina le fixa sans rien dire. Les yeux gris de Ryan changèrent d'expression. Avant de le voir jeter sa propre cigarette, elle devina qu'il allait la prendre dans ses bras.

Il l'embrassa avec douceur, puis plus fort. Malgré elle, Gina lui rendit passionnément ses baisers. Elle noua ses bras autour de son cou et ses doigts se perdirent dans les épais cheveux sombres.

Rien ne lui importait à cet instant précis. Elle aurait voulu qu'il l'embrasse sans fin...

Un sourd grognement les ramena à la réalité. Pal se tenait tout près d'eux, arc-bouté sur ses pattes solides. Son regard était intense.

Ryan lui jeta un coup d'œil, puis il lâcha Gina et appela son chien d'une voix calme. La queue de l'animal battit faiblement. Mais son regard demeurait vigilant.

— Il est jaloux... commenta Ryan, amusé. Mais duquel d'entre nous? Je n'en sais rien!

Sa voix devint coupante :

— Suffit, Pal!

Cette fois le chien s'approcha et fourra son nez dans la main de son maître.

Ryan lui tapota le dos.

— Attention, hein, Pal!

Ce court intermède avait permis à Gina de reprendre ses esprits. Mais son cœur battait encore très fort.

Quand Ryan se tourna vers elle, elle rencontra son regard sans ciller.

— Non, Ryan... murmura-t-elle quand il s'approcha de nouveau.

— Ce n'est certainement pas la première fois qu'on vous embrasse!

— Non, bien sûr...

— Pour cela, il faut être deux... Et être du même avis!

Gina savait pourquoi il l'avait embrassée. Il s'ennuyait et elle représentait la seule distraction possible. Si elle avait repoussé ses avances il se serait probablement contenté de hausser les épaules et de ne plus s'occuper d'elle. Mais elle avait répondu à ses baisers... Avec une fébrilité qui lui faisait presque honte.

— Je vais travailler, déclara-t-il. Si vous faites du café, je serais content d'en avoir une tasse.

Elle évita son regard.

— Très bien. Où serez-vous?

— A mon bureau dans la salle de séjour. Où voulez-vous que je sois? lui demanda-t-il sèchement.

— Je vous apporterai du café dès qu'il sera prêt.

— Merci.

Il rentra, la laissant seule. Elle se sentait triste. Pal la regardait bizarrement.

— Ne sois pas mon ennemi, lui dit-elle doucement. Je n'essaierai pas de te voler ton maître.

La tête du chien s'affala sur ses pattes. Il eut un long soupir.

Gina alla préparer le café. Depuis la cuisine, elle entendait le bruit de la machine à écrire. Elle devina que Ryan tapait avec deux doigts, mais rapidement malgré tout.

Quand elle lui apporta le café, il étudiait une page dactylographiée. Il fronçait les sourcils. Il barra tout un paragraphe d'un épais trait noir.

— Ça va? demanda-t-elle timidement.

Il lui adressa un sourire de travers.

— Moyen... Dès que je commence à relire, j'ai envie de tout déchirer et de recommencer...

— Mais vous ne le faites pas?

— Je n'en ai pas le temps. Je dois rendre mon manuscrit dans deux semaines.

— Le porterez-vous à votre éditeur vous-même?

— Oh non. Je l'enverrai par la poste avec soulagement et m'en irai je ne sais où...

— Pour vous reposer?

Il se mit à rire.

— Non, pas exactement. Si je n'ai pas de sujet pour mon prochain livre j'en chercherai un...

— Mais où trouvez-vous vos idées? demanda Gina, fascinée.

— Quelque chose que j'entends... quelque chose que je vois... L'idée de « Moins fluide que l'eau » m'est venue en rencontrant un jeune Australien. Il avait douze ans et une bien triste vie... J'ai pensé à l'emmener avec moi. Il était tellement désespéré...

— Il est devenu Sam qui, à la force de ses seuls poignets, a réussi à construire un empire commercial, ajouta Gina. J'ai beaucoup aimé ce livre. Mais pas la fin. Pourquoi avez-vous fait mourir Sam?

— Parce que... La vie n'est pas toujours aussi simple que vous avez l'air de le croire.

— Vous êtes un écrivain. Vous pouvez faire ce que vous voulez de vos héros.

— Ne croyez pas cela. Je ne savais pas que Sam allait mourir quand j'ai commencé le livre. Je savais...

Il s'interrompit. Il semblait regretter d'en avoir dit autant.

Ce roman avait eu énormément de succès. On en avait tiré un film.

— Pardon... murmura Gina. Je ne devrais pas vous poser de questions.

Il la fixa. Il y avait de l'ironie dans son regard. Mais elle comprit que c'était de lui-même qu'il se moquait.

— Je deviens susceptible.

— C'est moi qui suis stupide...

Il demeura silencieux. Il l'étudiait avec curiosité.

— Si le temps s'améliore, je vous emmènerai faire le tour de l'île cet après-midi.

Elle fut surprise de cette offre. Mais elle n'eut pas le courage de la refuser. Elle avait envie d'être avec lui... A partir de demain, elle ne le reverrait plus...

Après l'avoir quitté, elle se dirigea vers la plage la plus proche. Un rayon de soleil brillait entre les nuages. Ceux-ci se déchiraient, montrant une portion de ciel bleu de plus en plus large. Le vent était encore très fort. La mer était hérissée de moutons blancs.

Le bateau était toujours échoué à l'endroit où elle l'avait laissé. C'était hier. Hier seulement?

Les profondes déchirures de la coque l'épouvantèrent. L'une d'elle allait presque d'un bout à l'autre du bateau. Il faudrait le réparer avant de le remettre à l'eau. Cela coûterait certainement très cher... Heureusement, Ryan avait promis de l'aider. Il devait savoir comment procéder.

Elle s'assit au pied d'un palmier et enserra ses genoux dans ses bras. Elle essaya de mettre de l'ordre dans ses pensées.

Pourquoi ne pas admettre la vérité? Elle était sur le point de tomber amoureuse d'un homme qu'elle connaissait depuis quelques heures seulement.

Cela s'était produit dès le premier soir où elle l'avait rencontré. Si elle était honnête avec elle-même, elle devait l'admettre. Bizarre... Elle n'avait jamais cru que le coup de foudre existait réellement...

Pourquoi cela lui était-il arrivé? Déjà, en lisant ses livres, elle s'était sentie proche de lui. Mais jamais elle n'aurait imaginé pouvoir le rencontrer un jour. Et encore moins se trouver isolée avec lui sur une île! C'était une situation très romantique. Peut-être l'utiliserait-il pour l'un de ses livres? Elle espérait que non... Parce que pour elle ces instants étaient très importants. Même si pour lui ils ne l'étaient pas.

Quand elle regagna la maison, le ciel était presque entièrement dégagé. Le soleil brillait. Ryan était assis sous la véranda. Pal se tenait à ses pieds.

— Vous l'avez joliment abîmé, commenta-t-il lorsqu'elle s'approcha. Cela peut être réparé, naturellement. Cependant il faut tout un équipement spécial pour travailler la fibre de verre.

— Ce n'est pas la peine d'insister! répliqua-t-elle. Je n'avais pas de choix... A moins de rester et d'accepter...

Il haussa les épaules.

— Votre Sven aurait retrouvé ses esprits après une nuit de sommeil! Ou bien il aurait découvert une partenaire plus complaisante... En général, dans ce genre de réunions, elles ne manquent pas.

— Y avez-vous déjà participé?

— Cela ne m'intéresse pas. Je sais qu'il y en a beaucoup dans la région...

— Mais pourquoi la police...

— Il s'agit d'une île privée! Personne ne se plaint. Donc personne n'enquête.

— A qui appartient-elle?

— A Slade Harley. Un homme que vous feriez bien de ne pas approcher. Il est à la tête de la plus importante organisation de call-girls des îles.

— La police ne fait rien?

— Il n'y a pas de preuves. Si quelqu'un avait le malheur de se plaindre je ne donnerais pas cher de sa peau.

Gina frissonna.

— Ces choses arrivent donc réellement?

— Un peu partout dans le monde. Pas seulement ici. Mais vous n'avez pas à vous en préoccuper...

— Si, cela me regarde : Marie se trouve toujours sur cette île.

— Je suis persuadé qu'elle saura se débrouiller. Pour déjeuner, que diriez-vous d'une salade? Avec du jambon?

— C'est une bonne idée.

Elle eut un petit sourire.

— Vous êtes très bien organisé.

— Ce n'est pas parce que je travaille que je vais me laisser mourir de faim! Ces quelques mois de répit font dans mon existence une coupure très saine. Ils me reposent des excès du reste de l'année. Pendant un temps, j'oublie le vin, les femmes et la musique...

— Pas la musique! protesta Gina. J'ai vu un électrophone et de nombreux disques.

— Vous êtes la première femme à venir ici. Cet endroit est sacro-saint. Seul Neil y est admis. Enfin, il y a une première fois pour tout...

Il se leva. Il était grand, mince et énigmatique.

— Allons déjeuner.

Au début de l'après-midi, ils partirent faire le tour de l'île. Ryan posa un vieux chapeau de paille sur la tête de la jeune fille. Celle-ci voulut refuser.

— Par coquetterie? se moqua-t-il. Ne vous inquiétez pas... Je trouve votre ensemble assez séduisant. Peut-être parce que vous portez mes vêtements? Si vous voulez, vous pouvez remettre votre bikini.

— Cela n'a pas d'importance... Mais je n'avais pas besoin d'un chapeau.

— Méfiez-vous du soleil!

L'île était petite mais très belle. Le petit yacht de Ryan se trouvait à l'abri d'un lagon. Le paysage évoquait les photographies d'une brochure touristique. Plages de sable blanc, cocotiers, végétation très verte...

— C'est de ce côté qu'il aurait fallu construire la maison, fit Gina.

— Je me suis fait la même réflexion, approuva Ryan. Si je devais vivre ici toute l'année, j'aurais songé à la faire reconstruire. Mais pour seulement trois mois par an cela n'en vaut pas la peine. D'autant plus que je passe la plus grande partie de mon temps devant ma machine à écrire.

— Quand vous êtes-vous installé ici?

— Cela fait quatre ans. Et j'écris depuis dix ans.

— Que faisiez-vous auparavant?

— Des tas de choses. J'étais un globe-trotter. Cela m'a beaucoup appris! Mon père m'avait laissé suffisamment d'argent pour que je ne sois pas obligé de travailler.

Il la fixa.

— Et vous? Avez-vous toujours vos parents?

Elle secoua la tête.

— Mon père est mort quand j'étais toute petite. J'ai perdu ma mère il y a deux ans.

— Vous êtes seule dans la vie?

— Complètement.

Elle se força à sourire.

— Je suis la dernière à porter le nom de Tierson!

— Ce nom disparaîtra quand vous vous marierez.

— Si jamais je me marie...

Ryan pinça les lèvres.

— C'est le désir de toutes les femmes!

— Ne généralisez pas! fit-elle avec colère.

— J'essaierai de m'en souvenir... Il y a une autre plage par là... On y trouve de nombreux coquillages.

La colère de Gina tomba aussi vite qu'elle était montée.

— J'ai l'impression de passer tout mon temps à m'excuser auprès de vous...

Il se mit à rire. Puis il posa sa main sur l'épaule de la jeune fille. Ils marchèrent côte à côte. Pal les suivait en trottinant. Gina aurait voulu que Ryan garde son bras négligemment jeté sur son épaule... Mais il le laissa retomber.

Il leur fallut environ vingt minutes pour atteindre l'autre plage en coupant à travers l'île. Depuis un monticule, Gina regarda l'océan hérissé de moutons blancs. Elle avait eu une chance folle de tomber sur cette île minuscule!

— Pourquoi avez-vous choisi cette époque de l'année pour travailler? s'enquit-elle. A cause des ouragans, cette région peut être dangereuse.

— Il ne s'agit pas de choix. Je me mets à travailler quand j'ai réuni assez de notes. Le seul vrai danger serait que l'île se trouve sur le passage d'un cyclone. La tempête que vous avez essuyée n'est rien à côté d'un vrai cyclone. Mais en général la radio locale les annonce... On a en principe le temps de prendre les précautions nécessaires.

— Ne vous sentez-vous pas seul?

— Pas quand j'écris. Mais je vous ai dit que j'allais à Nassau une fois par semaine. Neil m'héberge.

— Il semble plus âgé que vous.

— De neuf ans. J'ai fait sa connaissance aux Etats-Unis il y a cinq ans. C'est lui qui m'a parlé de cette île. Avant cela j'écrivais n'importe où. Là où je me trouvais. Ce n'était pas toujours facile.

— A cause des interruptions?

— Oui. Les gens n'arrivent pas à comprendre

qu'écrire est un métier qui nécessite beaucoup de tranquillité. Ils pensent qu'ils peuvent vous déranger à tout bout de champ. Pour bavarder, pour prendre un verre ou pour n'importe quoi... Je connais un écrivain marié qui a loué un bureau en ville. Il va y travailler de huit heures à dix-sept heures, cinq jours par semaine. Sinon il n'y arrive pas...

— C'est pourquoi vous restez célibataire?

— Non. Je n'ai pas encore rencontré la femme avec qui j'aimerais passer le reste de ma vie.

Il eut un sourire dur.

— De toute façon, il lui faudrait un caractère assez spécial pour accepter de passer trois mois par an ici!

— Elle pourrait habiter à Nassau...

— Pas question! C'est au cours de la nuit que je me sens le plus seul.

— Autrement dit, vous la souhaitez invisible le jour... Vous voulez vraiment que tout se plie à vos désirs!

— C'est exact. Et si ce n'est pas possible, je préfère laisser tomber. Voici la plage...

Celle-ci aussi était très belle.

— Il y a un courant très violent qui fait le tour de l'île et amène tout ici... Si vous aviez été prise dedans je ne vous aurais probablement pas vue.

— J'ai eu de la chance. Songez que je ne connais rien aux bateaux ni à la mer.

— Ni aux hommes.

Il était derrière elle. Tout près. Si près qu'elle sentait son souffle sur ses cheveux. Quand ses mains glissèrent sur sa taille elle se raidit mais ne chercha pas à se dégager. Il l'attira contre lui. Quand il posa ses paumes sur ses seins elle protesta. Mais sa voix n'était pas vraiment convaincue.

— Non, Ryan... S'il vous plaît...

— Vous parlez ainsi par pure convention, Gina! En réalité, vous avez envie que je vous tienne ainsi. Vous n'avez que cette chemise sur le dos. Ma chemise... Rien dessous. Il y a de quoi rendre un homme fou!

— Non!

C'était plus un gémissement qu'une interdiction. Même si son esprit refusait les caresses, son corps les désirait. Elle s'empara des mains de Ryan et essaya de les repousser.

Il se mit à rire et posa ses lèvres sur la nuque de la jeune fille, après en avoir écarté les cheveux.

— Vous voulez vraiment que j'arrête?

— Oui, fit-elle dans un soupir.

— Très bien.

Il la lâcha et recula.

— Ça va mieux?

— Oui, répéta-t-elle.

Elle voulait se retourner mais ne se sentait pas la force de lui faire face. Pourquoi l'avait-il laissé aller aussi aisément? Il jouait avec elle comme un chat joue avec une souris.

— Il faut donc que vous prouviez votre virilité à toutes les femmes que vous rencontrez?

— Non. Seulement à celles qui me plaisent. Ne craignez rien, Gina, je ne vous violerai pas. Je n'ai jamais forcé une femme. Je ne vais pas commencer. Nous rentrons?

Quand elle se retourna enfin, elle s'aperçut qu'il s'éloignait déjà. Il ne lui accordait pas plus d'importance que cela? Brusquement, elle désira lui faire mal, l'humilier autant qu'il venait de l'humilier. Elle voulait qu'il la désire... Qu'il la désire vraiment. Et alors elle lui tournerait le dos et partirait. Comme lui. Ce ne serait pas facile, mais elle le ferait. Même si elle devait en mourir!

Elle le rattrapa en bas d'une pente et se mit à marcher à ses côtés. Il lui adressa un regard surpris. Il s'étonnait de son calme.

— Vous ne m'en voulez pas d'avoir été trop loin? demanda-t-il moqueusement.

— Vous m'avez prise par surprise. Je n'ai pas l'habitude...

— Vous n'avez pas l'habitude des hommes en général. A quoi se limite votre expérience? On vous a tenu la main au cinéma? On vous a embrassée dans une voiture?

— C'est à peu près cela. Est-ce critiquable? Les gens que j'ai rencontrés jusqu'à présent ne vivaient pas comme vous.

— Maintenant votre curiosité est en éveil. Vous vous demandez à quoi cela ressemblerait de faire l'amour avec moi!

— Ne vous moquez pas de moi, dit-elle avec un sourire.

— Vous m'avez tenté. Je n'ai pas su résister...

— J'ai eu du mal à résister moi-même, avoua-t-elle. Ce n'est pas parce que je ne l'ai jamais fait que... que je n'ai jamais voulu le faire.

— Une décision morale?

— Probablement. J'ai été élevée au couvent.

— Mais vous ne pensez pas rester vierge jusqu'au mariage?

— Je l'ignore.

Elle fit une pause étudiée.

— Je l'ignorais, reprit-elle.

Ryan s'immobilisa brusquement. Il la prit par les épaules et l'obligea à lui faire face. Ses yeux gris étudièrent longuement le visage de la jeune fille.

— Vous savez ce que vous dites?

— Oui.

Son cœur battait très fort. Mais le besoin de se venger était plus fort que tout.

— Oui, je sais. Je... je ne peux pas résister, Ryan.

— Dites-moi cela bien clairement. Vous voulez faire l'amour avec moi?

— Oui, se força-t-elle à répondre.

— Pourquoi?

— Parce que personne ne m'a excitée autant que vous. Parce que je pense qu'avec vous ce sera... fabuleux! Et c'est ainsi que cela doit être la première fois.

— Ce n'est pourtant pas l'impression que vous m'avez donné tout à l'heure, sur la plage.

— Vous avez été trop vite. Vous m'avez fait un peu peur...

— Et maintenant vous n'avez plus peur?

— Non.

— Prouvez-le.

Elle le fixa. Elle était incapable de contrôler ses réactions. Enfin elle demanda :

— Ici?

— Pourquoi pas? Nul ne nous dérangera!

— Si!

Elle regarda Pal s'approcher avec soulagement.

— Voici votre ami jaloux... Vous l'avez oublié?

— Dommage...

Il lui tapota la joue.

— Je serai ravi de vous rendre ce service à un autre moment. Ce soir, par exemple. Prenons rendez-vous?

— Oui, fit-elle, la gorge sèche.

— Je compte sur vous.

Et, s'adressant au chien, il ajouta :

— Allons, nous rentrons !

Le doute envahit la jeune fille. Ryan marchait devant elle. Elle se demanda si elle n'avait pas entrepris une tâche au-dessus de ses moyens.

Puis elle se souvint des paroles de Ryan : « Ne craignez rien, Gina, je ne vous violerai pas. Jamais je n'ai forcé une femme. » Elle ne risquait rien, elle en était sûre.

En rentrant, elle aurait souhaité se faire une tasse de thé. Mais il n'y avait pas de thé. Elle se prépara un jus de citron glacé. Puis elle s'assit sous la véranda en compagnie de Ryan et de Pal.

Le ciel commençait à s'obscurcir. Il devenait de ce bleu opaque, annonçant l'approche de la nuit dans ces latitudes. Déjà les oiseaux s'étaient cachés dans les arbres. Les cigales chantaient sans trêve.

Depuis son arrivée aux Bahamas, Gina avait apprécié cette heure de la journée. A l'hôtel, elle s'installait sur le balcon, attendant que l'obscurité soit complète.

C'était aussi beau ici. Et même davantage, car aucun bruit autre que ceux de la nature ne troublait le silence.

Elle aurait pu rester assise éternellement sous cette véranda. A simplement écouter, regarder, et sentir la délicieuse fraîcheur succéder à la chaleur de l'après-midi.

— Je vais nager, fit Ryan. Vous venez?

Elle sursauta, surprise dans sa rêverie. Elle avait oublié la présence de l'écrivain.

— La mer est encore très agitée, remarqua-t-elle.

— Pas dans le lagon. Je m'y baigne presque tous les soirs.

Elle hésita un moment. Puis elle secoua la tête.

— Je préfère rester ici. Je n'ai pas le courage d'aller me changer.

Il leva un sourcil et parut sur le point de dire quelque

chose. Mais il se contenta d'appeler Pal d'un claquement de langue.

— A tout à l'heure. Je vais aller chercher une langouste dans le vivier. Ne vous mettez pas en peine de préparer quoi que ce soit pour dîner. Aimez-vous la langouste?

Elle hocha la tête.

— J'adore ça!

— Parfait... Voulez-vous mettre une bouteille de vin à glacer? Vous en trouverez dans l'office, derrière la porte.

Il leva la main et lui adressa un étrange petit sourire.

— Ne partez pas!

Et où aurait-elle pu aller? Il n'y avait aucun endroit dans lequel elle aurait pu se réfugier. Et elle commençait à le regretter. Le désir de vengeance qui s'était emparé d'elle s'estompait. Elle n'était pas loin de regretter son idée.

Son projet était réalisable. Tout au moins il lui avait paru tel en plein jour. Maintenant que la nuit tombait, elle n'en était plus aussi sûre.

Le bon sens lui disait de faire marche arrière maintenant qu'il en était encore temps. Elle pouvait dire à Ryan qu'elle avait changé d'avis. D'ailleurs, pouvait-elle vraiment lui faire confiance? Accepterait-il de la laisser partir? Bien sûr, il l'avait dit. Mais une fois mis au défi de respecter sa parole, que ferait-il? Allait-elle prendre ce risque? Seulement pour venger son orgueil blessé?

Indécise, elle alla mettre une bouteille de vin dans le réfrigérateur. L'étiquette ne lui dit rien. Elle ne connaissait pas grand-chose en vins... Sinon qu'elle préférait le blanc au rouge et le sec au sucré.

La lune ne se montrait pas encore. Mais les étoiles étaient assez brillantes pour percer la nuit.

Impulsivement, Gina suivit le chemin que Ryan avait pris en direction du lagon.

Une lumière bleuâtre illuminait la plage. La nuit, le paysage était extraordinaire.

Ryan se trouvait à peu près à mi-chemin entre la plage et les récifs. Sa tête était sombre sur l'eau argentée. Pal nageait auprès de lui. Tous deux avaient visiblement l'habitude de se baigner ensemble.

Soudain Ryan plongea. Il demeura longtemps sous l'eau. Très longtemps... Quand enfin il réapparut à la surface, Gina constata qu'il tenait quelque chose à la main. Il nagea vers le rivage en s'aidant d'un seul bras.

Il sortit de l'eau en même temps que le chien. Celui-ci se secoua. Ryan se mit à rire. Il lança un caillou. Pal courut. Ryan le regardait, bien d'aplomb sur ses jambes. Il tenait une langouste à bout de bras.

Il était nu. Il devait avoir l'habitude de se baigner et de prendre des bains de soleil sans maillot, car aucune différence de couleur ne marquait ses hanches.

Sa silhouette se détachait sur le ciel. Il était magnifique. Une vivante image de l'homme moderne, le retour à la nature...

Pal le rejoignit et laissa tomber le caillou à ses pieds. Ryan secoua la tête négativement et rejoignit l'endroit de la plage où il avait laissé ses vêtements.

Gina fit un pas en arrière, essayant de se dissimuler dans l'ombre. Elle s'appuya au tronc d'un arbre et essaya de retrouver son calme.

Cette île devait être un paradis pour les amoureux. Un véritable lieu d'enchantement où rien d'autre n'importait, sinon le plaisir d'être ensemble.

Comme il devait être merveilleux de courir dans les vagues et de sentir l'eau tiède glisser le long de sa peau. Sans aucun vêtement pour l'arrêter... Tous les interdits devaient alors s'effacer pour faire place à une extraordinaire liberté. Si seulement...

Elle retint sa respiration. Ryan approchait. Elle avait oublié Pal... Déjà, le chien avait deviné sa présence. Un grognement s'échappa de sa gorge.

Ryan se dirigea vers l'endroit où elle se tenait. Il se demandait ce qui avait attiré l'attention de Pal.

Il était trop tard pour songer à s'enfuir. Elle demeura immobile.

— Je suis désolée, murmura-t-elle. Je ne pensais pas que vous...

— Que je me baignais sans prendre la peine d'enfiler un maillot? termina-t-il pour elle.

Cela ne semblait guère le gêner.

— Pourquoi n'êtes-vous pas venue me rejoindre?

— Comme ça?

Il se mit à rire.

— Et pourquoi pas? L'eau était très bonne. Vous auriez apprécié ce bain...

— Et cela vous aurait été égal! lança-t-elle.

Il ne répondit pas tout de suite. Il paraissait très grand, très puissant dans l'obscurité. Son expression était impossible à déchiffrer.

— Non, cela ne m'aurait pas été égal, dit-il enfin. Mais rien ne serait arrivé ici. Je ne l'aurais pas voulu. Je vous conduirai au lit, Gina, ce soir après dîner. Nous ferons l'amour confortablement. Nous prendrons tout notre temps. C'est ce que vous désirez, n'est-ce pas?

C'était le moment de lui parler. Mais elle ne pouvait pas trouver ses mots. Elle entendait les battements précipités de son cœur.

Ryan semblait prendre son silence pour une approbation. Il lui tendit la langouste.

— Attention...

Gina s'en empara avec précaution et se mit à marcher en tête. Elle se mordait la lèvre inférieure. Il fallait qu'elle trouve le bon moment pour parler à Ryan. Avant qu'ils aient terminé de dîner.

— Gina, fit doucement Ryan derrière elle. Vous mettrez votre bikini et votre chemise quand nous serons rentrés? Mes vêtements ne vous mettent pas en valeur.

Elle ne trouva rien à répondre. Pas maintenant... Elle avait besoin de réfléchir.

Ils s'assirent à huit heures devant un repas somptueusement préparé et présenté. Ryan avait assaisonné la salade lui-même.

Gina le complimenta.

— Oh, j'aime faire la cuisine, répondit-il.

Il remplit le verre de la jeune fille. Les flammes mouvantes des chandelles faisaient jouer des ombres sur son visage. Elle voyait seulement son sourire avec netteté. Il était chaleureux, empli de sympathie.

— Cela vous plaît? demanda-t-il.

Elle hocha la tête affirmativement. Le vin n'était pas seul responsable de l'ivresse qui la gagnait. Il fallait qu'elle fasse appel à tout son courage! Car si Ryan la prenait dans ses bras, il serait trop tard.

— Vous êtes bien calme, Gina. A quoi pensez-vous?

— A rien, dit-elle, en s'efforçant de sourire.

— Vous vous demandez comment cela va se passer?

Il lui prit la main.

— Tout ira bien... Bientôt je vous emmènerai dans ma chambre. Nous aurons tout notre temps... Toute une nuit, au moins. Au début, je vous embrasserai, je vous caresserai... Puis je vous déshabillerai sans hâte...

Sa voix était profonde, basse. Elle faisait naître en elle des émotions qu'elle ignorait. Tout en parlant, il lui caressait la main et elle frissonnait.

Elle était presque en transes...

Tous les hommes parlaient-ils de cette façon aux femmes? Ou bien n'y avait-il que lui?

Etait-il conscient de l'état d'excitation dans lequel il la plongeait? Oh oui, il le savait... Il connaissait si bien les femmes! Il savait trouver les gestes et les paroles qu'il fallait pour être désiré. Et elle le désirait totalement. Demain, elle verrait. Pour l'instant, seule comptait cette nuit à venir...

Son regard était brouillé quand elle le vit se lever. Il l'aida à se mettre debout et l'attira vers lui. Il l'enlaça. Ses lèvres se posèrent sur les siennes. Puis, avec douceur, il la souleva.

Elle s'agrippa à lui quand il l'emmena. Une de ses sandales glissa à terre. Puis l'autre.

La porte de la chambre de la jeune fille était entrouverte. Il la poussa puis déposa Gina sur le lit. Il s'allongea près d'elle.

Il l'embrassa de nouveau. Légèrement d'abord. Puis de plus en plus passionnément.

Elle répondit à ses baisers. Même si elle l'avait souhaité elle n'aurait pas eu le courage de lui résister. Il la dominait complètement.

Les mains de Ryan étaient douces sur sa peau. D'un doigt, il traçait la courbe allant de ses seins à ses cuisses. Elle sentait son corps s'animer sous ses paumes.

Quand il ôta la légère chemise et se pencha pour lui embrasser les seins, elle eut un dernier mouvement d'incertitude. Mais il était trop tard. Jamais elle ne trouverait les mots ou la volonté pour mettre fin à ces instants.

Il défit complètement le soutien-gorge du maillot et la contempla. Puis de nouveau, il se pencha pour l'embrasser.

Elle eut un gémissement. Son corps se tendit pour aller à la rencontre de celui de Ryan.

— Oh, Ryan, murmura-t-elle. J'ai tellement, tellement envie de vous!

Il répondit avec brutalité.

— Je le sais. C'est horrible, n'est-ce pas?

Brusquement, il se releva. Gina demeura pétrifiée. Elle ne comprenait pas ce qui lui arrivait. Il la désirait également, c'était évident. Alors, pourquoi ce recul?

Elle le demanda tout haut :

— Pourquoi?

— Vous méprisez les gens comme moi. Vous vous rappelez?

Il la dévisagea. Ses lèvres se crispèrent quand elle chercha à cacher sa poitrine en croisant les bras.

— Trop tard! Soyez-moi reconnaissante : je vous ai laissé le reste!

— Vous aviez tout prévu, murmura-t-elle, ne parvenant pas encore à y croire. Depuis hier vous aviez préparé cette scène!

— C'est exact.

Sa voix était dure.

— Je vous ai remise en place... N'était-ce pas votre propre expression? Alors, qu'en pensez-vous?

Elle voulut s'asseoir. Mais il la repoussa, la forçant à s'allonger.

— Restez ici. J'ai quelque chose à vous dire!

— N'en avez-vous pas dit assez?

Sa gorge lui faisait tellement mal qu'elle parvenait à peine à parler. Ses yeux la brûlaient. Mais elle n'avait pas envie de pleurer.

— Vous ne vous êtes pas tellement débattue, n'est-ce pas? lança-t-il. J'y serais peut-être arrivé dès le début. Je vous ai laissé vingt-quatre heures...

— Cela n'a fait qu'empirer les choses.

— Pour vous, peut-être. Moi, j'ai apprécié chaque instant. C'est un peu comme la pêche au thon... Vous laissez aller le poisson, vous le reprenez... Vous jouez avec lui en l'amenant de plus en plus près. Et enfin vous vous en emparez!

— Taisez-vous!

Elle le fixa. Elle tremblait.

— Vous êtes écœurant! Absolument écœurant!

— Savez-vous que j'ai bien failli me laisser prendre à mon propre jeu? Vous avez un très joli corps, chérie. J'aurais aimé le connaître... Mais pour vous frustrer, je devais l'être également. C'était le prix à payer.

— Vous n'aviez pas besoin d'aller si loin. Si je vous avais tellement vexé hier, pourquoi ne pas m'avoir dit ce que vous pensiez de moi?

— Vous ne m'auriez pas entendu. Vous étiez tellement occupée à cracher feu et flamme que vous ne m'auriez pas écouté. Pour vous, il faut ajouter les actes à la parole. A l'avenir, vous ferez attention à ce que vous dites. Et aussi à qui vous le dites.

Il la considéra avec une moue.

— Avez-vous quelque chose à ajouter? demanda-t-il.

— Partez et laissez-moi!

Sa voix tremblait.

— Vous avez eu ce que vous voulez. Maintenant, partez!

— Je vous ai dit : attention!

Il la détailla avec un regret moqueur.

— Je ferais aussi bien de partir tant que j'en ai le courage!

Il s'arrêta un instant sur le seuil.

— Nous appareillerons demain, après le petit déjeuner. Soyez prête à temps.

De longues minutes passèrent. Gina était incapable de bouger après son départ. Elle se sentait à la fois malade, désespérée et terriblement humiliée. Méritait-elle vraiment ce qui lui était arrivé? L'avait-elle cherché, comme Ryan le prétendait?

Il lui avait fallu vingt-quatre heures pour parvenir à ses fins. Seulement vingt-quatre heures. Oh, comment oserait-elle jamais se regarder en face après cette terrible expérience?

Ils débarquèrent sur la plage que Gina avait quittée trois jours auparavant. Un homme qui se tenait sur la jetée lança à la jeune fille un coup d'œil stupéfait.

— Vous êtes la jeune disparue! Savez-vous qu'un avion tente de localiser votre bateau?

Il regarda Ryan puis se tourna de nouveau vers Gina.

— Vous étiez seule en mer quand la tempête est arrivée, il paraît...

— C'est exact, fit Ryan brièvement.

Il prit le bras de Gina. Ses doigts se resserrèrent quand elle tenta de lui échapper.

— Essayez d'agir en adulte, pour une fois! Il faut que ces recherches soient interrompues!

Les minutes qui suivirent furent très confuses. Malgré elle, Gina était contente de la présence de Ryan. Il se chargea lui-même de téléphoner à la police afin de signaler qu'elle était retrouvée. Saine et sauve.

Le directeur de l'hôtel ne semblait pas croire vraiment son récit. Son regard allait de Ryan à elle, incrédule.

L'arrivée de Marie fut une épreuve supplémentaire.

— Nous sommes revenus hier, expliqua-t-elle. Il y avait un poste radio-émetteur dans l'île. Nous avons pu apprendre que tu n'avais pas rejoint New-Providence. Tout le monde pensait que tu avais péri en mer...

Elle lança à Ryan un coup d'œil étrange.

— Elle a eu de la chance d'arriver chez vous!

— Oui, admit-il.

Ses yeux gris étaient cyniques.

— A qui appartient ce yacht? Il aura besoin d'être réparé avant d'être remis à flot.

— Je vais vous donner le numéro de téléphone de son propriétaire.

Et, se tournant vers Gina, elle ajouta avec un certain plaisir :

— Tu vas avoir des ennuis à cause de ce bateau. Tu n'aurais jamais dû le prendre!

— Non, elle n'aura pas d'ennuis, fit Ryan avec assurance. Gina, vous devriez aller vous changer. Je vais m'occuper des détails.

— Ce n'est pas votre affaire. Je peux très bien...

— Je vous ai dit que j'allais m'occuper des détails.

Il demanda au directeur de l'hôtel s'il pouvait occuper son bureau. Sur la réponse affirmative de celui-ci il s'y enferma pour téléphoner.

— La police voudra certainement vous interroger, Mademoiselle Tierson, dit le directeur de l'hôtel à Gina. D'importants moyens ont été mis en œuvre pour vous retrouver. Tout cela coûte très cher.

— Ce n'est pas de ma faute. Je ne pouvais pas faire savoir que j'étais hors de danger.

— Ils le réaliseront probablement.

Il soupira.

— Heureusement, nous n'avons pas tenté de prévenir votre famille!

Gina ne prit pas la peine de lui expliquer qu'elle n'en avait pas. Elle accompagna Marie jusqu'aux ascenseurs. Elle essayait d'ignorer les regards curieux qui la suivaient.

Lorsqu'elles se retrouvèrent dans leur chambre, Marie laissa libre cours à sa curiosité :

— Retrouver cet homme dans une île! C'est incroyable!

Gina s'assit au bout de son lit.

— C'est vrai, c'est incroyable, répéta-t-elle. Marie, qu'est-il arrivé après mon départ?

— Nous nous sommes aperçus de la disparition du bateau.

Elle fixa Gina d'un air étrange.

— Pourquoi as-tu agi aussi stupidement? Rafe voulait nous ramener dans la nuit, comme il l'avait promis. Mais nous ne t'avons trouvée nulle part.

— Sven a essayé de me violer.

Marie haussa les épaules.

— Oh, ne fais pas un drame! Il a tenté sa chance, voilà tout. Il ne savait pas à qui il s'adressait!

— Tu n'étais pas là pour le voir!

A ce souvenir, Gina eut un frisson.

— Il était ivre. Je lui ai échappé et me suis cachée près de la plage. J'y suis restée toute la nuit. Je ne songeais pas au bateau. J'ai agi sur un coup de tête.

— Ça va te coûter cher.

— Tu crois? Après tout, je fuyais Sven.

— Tu as accepté d'embarquer sans faire d'histoires. D'ailleurs ce bateau n'appartient ni à Rafe ni à Sven. Il appartient à leur patron. Et celui-ci n'est pas commode.

— Tu le connais?

L'expression de Marie changea.

— Oui. Tu l'aurais rencontré également si tu n'étais pas partie. C'est lui qui nous a ramenés hier.

— Il est riche? hasarda Gina.

— Très.
— Alors tu as enfin trouvé ce que tu cherchais!
— Pas tout à fait. Il n'est pas du genre qui épouse.
— Est-ce possible! lança Gina avec ironie.
— Je ne sais pas ce que je vais faire...
— Oh, je suis sûre que tu as déjà pris ta décision. Gina fronça les sourcils.
— Marie, tu crois vraiment qu'il va me faire des ennuis? J'ai pris le bateau sans permission, c'est un fait. Mais j'ignorais qu'une tempête se préparait.
— Je ne sais pas ce qu'il fera. Son assurance couvre les vols. Mais pas les emprunts... Enfin, tu verras bien. Riche ou pas, il voudra sûrement une compensation.
— Ryan dit qu'il arrangera tout.
— Tu lui fais tellement confiance? C'est vrai que vous avez eu tout le temps de faire connaissance...
On frappa à la porte. Cela évita à Gina de répondre. Elle avait rougi. Marie l'avait remarqué...
Ryan entra et toisa Gina.
— Avez... avez-vous pu parler au propriétaire du bateau? s'enquit la jeune fille.
— Oui. Il veut vous voir.
— Il va me demander des dommages et intérêts?
— Non, ne vous inquiétez pas. C'est arrangé. Il veut vous voir, c'est tout. Il m'a demandé de vous amener chez lui pour déjeuner.
— Vous le connaissez?
— J'ai entendu parler de lui, mais je ne l'ai jamais vu.
— Est-il vraiment nécessaire que...
— Si vous refusez, vous risquez d'avoir à répondre de votre « emprunt » devant les policiers.
— Mais pourquoi veut-il me voir, puisqu'il a décidé de laisser tomber l'affaire?
— Disons que c'est une lubie de sa part.
Elle se dressa.
— Je n'irai pas!
— Vous irez! ordonna-t-il. C'est sa condition. Habillez-vous et venez.

Il s'assit. Gina le regarda faire avec un sentiment d'impuissance.

— Je ne peux pas me changer si vous restez ici!

— Allez dans la salle de bains. Dépêchez-vous. Il faut que vous soyez prête d'ici un quart d'heure.

Gina jeta un coup d'œil à Marie. Celle-ci haussa les épaules.

— Ne discute pas. Il faut que tu passes par où il veut.

En silence, Gina s'empara de quelques vêtements et se rendit dans la salle de bains. Elle n'avait pas fermé complètement la porte. Elle entendit Marie parler. Elle s'immobilisa pour écouter la réponse de Ryan:

— Vous n'êtes pas invitée.

— Il n'a même pas mentionné mon nom?

— Si. Mais pas en parlant de ce déjeuner.

Il marqua un silence. Quand il recommença à parler, sa voix était méprisante :

— Vous savez dans quelle voie vous vous lancez?

— Vous vous trompez. Pour moi, c'est différent.

— Qui vous fait penser cela?

— Demandez-le à Slade.

— Eprouve-t-il pour vous un intérêt personnel?

— Je ne vois pas pourquoi vous souriez...

La voix de Marie s'adoucit

— Vous ne me croyez pas capable d'intéresser un homme comme Slade Harley?

— Au contraire. Vous avez tout ce qu'il faut pour cela! Mais ce n'est peut-être pas exactement la place qui vous convient.

— Et où est ma place? Auprès de votre ami Neil?

Elle éclata de rire.

— Vous lui direz bonjour de ma part!

Elle marqua un silence. Quand elle recommença à parler, sa voix avait changé de nouveau.

— Quant à vous, où est votre place?

— Pas par ici.

— Vous emmenez Gina déjeuner là-bas.

— J'y ai été en quelque sorte obligé.

— Pourquoi Slade veut-il la voir?

— Par curiosité, je crois. Les filles qui risquent leur vie pour ne pas être flétries sont assez rares dans ces contrées.

— Dans ces contrées comme partout ailleurs!

Ryan se remit à parler avec calme.

— Etant donné les raisons qui vous ont amenée aux Bahamas, je ne comprends pas pourquoi vous avez incité Gina à vous accompagner. Peut-être pensiez-vous qu'une fille seule inspirait moins confiance?

— C'est un peu ça.

De toute évidence, Marie n'avait aucune envie de se faire donner des leçons.

— Vous avez dû avoir de passionnantes conversations sur votre île! En tous cas, j'ai remarqué que Gina n'avait pas cherché à se sauver à bord de *votre* bateau!

— Chat échaudé craint l'eau froide! Elle a eu de la chance de survivre à sa première tentative de fuite!

— Aurait-elle eu également envie de vous fuir?

Gina ferma brusquement la porte. Elle en avait écouté assez. Plus qu'assez. Elle se sentait épuisée. Tellement épuisée qu'elle n'avait même pas la force de haïr Ryan.

Marie avait disparu quand elle sortit. Ryan hocha la tête d'un air approbateur en détaillant la petite robe de coton bleu que portait la jeune fille.

— Parfait! Cette tenue saura le convaincre!

— Convaincre qui?

— Slade Harley. L'homme chez qui nous allons déjeuner.

— Oh, votre ami gangster...

— Ne faites pas la sotte. Dans cette affaire, c'est lui qui a été lésé.

— Et moi? Ne pourrais-je pas porter plainte contre ses employés?

— En racontant quoi? Vous les avez suivis de votre plein gré.

— Je ne savais pas qu'ils voulaient me faire participer à... à une orgie!

— C'était une réception privée sur une île privée. Vous êtes la seule à parler d'orgie.

Gina sentit sa gorge se serrer quand elle rencontra le regard cynique des prunelles grises.

— Allons-y, murmura-t-elle d'une voix fatiguée.

Il ouvrit la porte pour elle.

— Pourquoi vous occupez-vous de tout ceci? Vous ne me devez rien!

— Disons que je fais ma bonne action de la semaine! En tous cas, si vous me permettez un conseil, le voici : en rentrant de chez Slade Harley, faites vos valises et prenez le premier avion!

— Je ne peux pas. Je rentre par charter et aucune modification des dates de vols n'est possible.

— Payez la différence.

— Je n'ai pas assez d'argent.

— Combien vous reste-t-il?

— Cela ne vous regarde pas. J'ai pu venir seule, je saurai rentrer seule.

Ryan la regarda sans mot dire. Une étrange expression assombrissait ses prunelles.

— Vous me détestez depuis l'autre soir, n'est-ce pas?

Elle se força à rencontrer son regard sans ciller.

— Non. Vous m'avez appris à me fier à ma première impression. L'homme est loin de valoir l'écrivain!

— Amen, fit-il sèchement.

Il haussa les épaules.

— Allons-y...

Ils reprirent le bateau et arrivèrent en vue d'une propriété construite dans le style espagnol. Les murs étaient très blancs derrière les cocotiers. Ils furent accueillis par un domestique au visage impassible. En dépit de la chaleur, celui-ci portait un costume bleu marine avec une chemise rose et une cravate rose également.

— Suivez-moi, dit-il sans préambule.

Une table pour trois avait été dressée sur la terrasse donnant sur la mer. Leur hôte vint à leur rencontre. C'était un homme d'environ quarante-cinq ans aux cheveux sombres et frisés. Ses yeux couleur d'ambre hypnotisèrent la jeune fille.

— Ainsi, la voilà... dit-il après l'avoir longuement examinée.

— Je regrette d'avoir abîmé votre bateau, déclara-t-elle.

Une vague de défi l'envahit.

— Mais pas de l'avoir emprunté! s'exclama-t-elle. Dans un certain sens, vous êtes responsable! J'essayais de fuir un de vos employés.

— J'ai compris...

Il paraissait plus amusé que fâché.

— Il a déjà été réprimandé pour son manque de... Comment dire? De discernement, en fait. Voulez-vous qu'il vienne s'excuser?

— Non! s'empressa de dire la jeune fille.

Elle ne se sentait pas le courage d'affronter Sven de nouveau.

— J'ai eu tort de l'accompagner, admit-elle. Je n'aurais pas dû accepter de le suivre.

— Non, assura-t-il sèchement.

Il se tourna vers Ryan :

— Le yacht se trouve maintenant échoué sur l'une des plages de votre île? Vous pensez qu'on peut le réparer là-bas?

— J'en ai l'impression.

Slade Harley eut un geste de la main.

— Nous verrons...

Le déjeuner ne fut pas l'épreuve à laquelle Gina s'attendait. La nourriture était excellente. Elle était servie par un noir vêtu de blanc. Leur hôte se montra excessivement agréable. La conversation était plaisante.

Gina commençait à comprendre pourquoi Marie avait été impressionnée par cet homme. Il était riche, certes. Mais aussi intelligent et fort séduisant.

Il avait lu plusieurs des livres de Ryan et il en fit des commentaires subtils.

— Vous n'avez pas encore écrit de livre dont l'action se situerait aux Bahamas, remarqua-t-il.

— Cela a déjà été fait tant de fois, répondit Ryan. Je préfère parler d'autre chose...

— Si un jour vous changez d'avis je pourrai vous mettre en contact avec des gens ayant des histoires passionnantes à raconter.

Il sourit, soutenant le regard gris sardonique.

— Oh, c'était juste une idée...

Ce fut seulement à la fin du déjeuner que le nom de Marie fut cité. Par Ryan.

— Celle-ci, déclara Slade Harley, n'a pas besoin de garde du corps!

— C'est bien mon avis, répondit Ryan d'une voix neutre. Elle était très déçue de ne pas avoir été invitée à déjeuner.

— Oh, je réparerai cela:.

Un regard entendu fut échangé entre les deux hommes. Slade repoussa sa chaise.

— Excusez-moi de vous laisser si vite... J'ai un important rendez-vous à Nassau.

Il adressa un sourire à Gina.

— Ne pensez plus au bateau...

Il avait disparu avant qu'elle puisse trouver quoi que ce soit à répondre. Déconcertée, elle se tourna vers Ryan :

— Pourquoi agit-il ainsi? C'est... assez mal élevé...

— Il retourne travailler, rétorqua-t-il avec calme. Si vous avez fini, nous pouvons partir, nous aussi.

Le domestique qui les avait amenés les accompagna jusqu'à la jetée. Il ne leur dit pas un mot et demeura sur le ponton jusqu'à leur départ.

— C'est un gorille, en quelque sorte? s'enquit Gina. Il est effrayant...

— Tâchez de l'oublier, déclara Ryan. Vous ne le reverrez probablement plus.

— Heureusement!

Elle marqua une pause avant d'ajouter :

— Je n'ai pas très bien compris la signification de cette visite.

— Slade Harley voulait vous étudier lui-même afin d'apprécier l'erreur de jugement des deux larrons... Vous avez su choisir exactement la robe qu'il fallait! Dans cette toilette, vous semblez aussi innocente que vous l'êtes en réalité...

— Je ne le suis plus tellement... grâce à vous, rétorqua-t-elle durement.

— Ne parlez plus de cela.

— Auriez-vous des remords? Vous me surprendriez.

Il parut sur le point de répondre quelque chose, mais demeura silencieux. Son visage devint brusquement soucieux.

— Gina, faites-moi plaisir...

Elle se redressa.

— Quoi donc?

— Pour votre bien...

— Vous êtes plein d'attentions! coupa-t-elle.

— Laissez-moi vous mettre dans l'avion pour Londres ce soir.

La voix de Gina était unie, lointaine :

— Vous avez déjà fait assez pour moi. Merci.

— Vous allez vous trouver toute seule : votre amie Marie a autre chose à faire.

— Je peux me débrouiller sans elle. Retournez à votre solitude et laissez-moi tranquille.

— Très bien, si c'est ainsi que vous le souhaitez.

Sa voix était coupante.

— Ne vous attendez pas à ce que je vous présente des excuses pour hier soir... Vous l'avez bien cherché!

— A force de vous le répéter, vous finirez par vous en convaincre vous-même.

Ils ne parlèrent plus. Gina regardait la côte scintillante sous le soleil. Des larmes brouillaient ses yeux. Elle aurait voulu se cacher comme un animal blessé. Loin de Ryan.

6

Marie quitta l'hôtel deux jours plus tard. Gina ne chercha pas à la faire changer d'avis. Elle savait que c'était inutile.

Malgré ses efforts pour ne pas trop dépenser, il ne lui restait presque plus d'argent. Les repas étaient horriblement chers. Et elle n'avait pas de moyen de transport pour se rendre dans des endroits plus abordables. D'ailleurs, existait-il des restaurants bon marché à Nassau? Peut-être dans les quartiers pauvres qui s'étendaient derrière la ville, mais elle n'osait pas aller là-bas seule.

Elle demeurait la plupart du temps sur le balcon de sa chambre. Cela lui évitait d'avoir à remettre à leur place les flirteurs. Ces derniers étaient nombreux.

Neil Davids apparut un soir. Il la rejoignit dans le hall. Elle était en train de se demander comment elle allait se débrouiller pour dîner ce soir-là.

— J'ai été absent plus longtemps que prévu, déclara-t-il après l'avoir saluée. Je suppose que Marie en a eu assez d'attendre?

Gina le regarda un moment avant de répondre.

— Vous n'avez pas vu Ryan? lui demanda-t-elle enfin.

— Non. Je viens de rentrer.

Il paraissait surpris.

— Pourquoi? Est-il venu ici?

— Oui.

Elle n'éprouva pas le besoin de lui raconter son aventure. Ryan s'en chargerait. Peut-être même en ferait-il un livre.

— Marie n'est plus à l'hôtel, déclara-t-elle.

— Où est-elle allée?

— Connaissez-vous un certain Slade Harley?

Le visage de Neil s'assombrit.

— Oh non...

— Hélas si.

— Quelle idiote! s'exclama-t-il. Elle...

Il s'interrompit puis haussa les épaules.

— Elle sait ce qu'elle fait... Mais comment une fille comme vous a-t-elle pu se laisser entraîner par cette aventurière?

— Oh, c'est une longue histoire...

— Racontez-la moi en dînant!

Le visage de la jeune fille se ferma.

— Non, merci...

Il l'étudia longuement, puis éclata de rire.

— En tout bien, tout honneur, Gina! J'ai besoin de compagnie... Avez-vous déjà dîné?

— Non, admit-elle.

— Alors, je vous en prie, venez.

Elle capitula pour la bonne raison qu'elle n'avait presque rien mangé depuis le petit déjeuner. Depuis plusieurs jours, elle se contentait des sandwiches du bar de la plage.

En se retrouvant assise en face de Neil, elle se rappela sa première soirée, dans ce même restaurant. Une main de fer étreignit son cœur. Comme tout cela semblait loin! Presque une autre vie... Oh, comme elle avait été stupide!

— Vous avez changé, remarqua Neil. Il y a quinze jours, vos yeux étaient pleins d'étoiles. Et ce soir...

Il secoua la tête.

— On dirait que vous avez perdu je ne sais quoi... termina-t-il.

— Mes illusions. Les choses ne sont pas toujours comme on les imagine.
— Vous ne connaissiez pas très bien Marie?
— Non.
Autant faire croire à Neil que le départ de Marie l'avait affectée.
— Ryan est donc venu?
Elle se raidit.
— Oui.
— Pour vous voir?
Gina tenta de rire.
— Pas exactement...
— Est-ce une autre longue histoire? s'enquit Neil.
Elle soupira.
— Je n'ai pas envie d'en parler. Ryan vous racontera lui-même...
— Cela m'étonnerait. Ryan est parfois aussi fermé qu'une huître. Enfin, s'il y a eu quelque chose entre vous, cela ne me regarde pas...
Une voix familière l'interrompit :
— Alors, on passe une bonne soirée?
Ryan venait de s'approcher de leur table. Son sourire était très dur.
— Je suis passé chez toi, dit-il à Neil. On m'a dit que tu étais ici. Tu cherches Marie?
L'attitude de Ryan surprit Neil.
— Assieds-toi, dit-il enfin. Quel bon vent t'amène en plein milieu de la semaine?
— J'ai été poster mon manuscrit.
Il lança un regard sarcastique à Gina.
— Vous remplacez Marie?
Neil répondit à sa place.
— Gina m'a raconté ce qu'était devenue Marie. Mais ne te méprends pas sur ma présence ici avec Gina. Nous dînons en toute amitié, voilà tout.
— Je te connais! lança Ryan avec ironie.
Gina le regarda haineusement. Pourtant, les battements de son cœur s'accéléraient.

— Ne perdez pas de temps à tirer des conclusions! lança-t-elle.

— Je suppose que vous avez dîné en galante compagnie tous les soirs depuis que nous nous sommes quittés?

— Mais naturellement! Je n'avais que le petit doigt à lever!

Le visage de Ryan se durcit. Elle haussa les épaules.

— En quoi cela peut-il vous importer? Vous n'êtes pas mon ange gardien!

— Je commence à me sentir de trop, fit Neil avec un soupir. Pourtant, Gina, croyez-moi, j'espérais que ce dîner serait agréable.

Gina lui adressa un sourire.

— Je vous crois, Neil. Jusqu'à cette interruption, tout avait...

Ryan lui prit le poignet et l'entraîna.

— J'ai à vous parler, déclara-t-il. Allons danser.

— Ne vous occupez surtout pas de moi! fit Neil.

Gina suivit Ryan. Elle comprit que si elle refusait, il l'entraînerait de force.

Il l'enlaça une fois arrivé sur la piste. Elle eut l'impression que les mains de l'écrivain la brûlaient à travers le tissu léger de sa robe.

— Qu'essayez-vous de prouver? demanda-t-il à mi-voix. Neil Davids a vingt ans de plus que vous.

— Et vous, vous avez onze ans de plus que moi.

La mâchoire de Ryan se contracta.

— Trêve de plaisanteries. Je n'ai aucune envie de rire.

— Moi non plus. J'espérais ne jamais vous revoir.

Son étreinte se resserra.

— C'est Neil que je cherchais, dit-il.

— Il est assez grand pour savoir ce qu'il a à faire.

— Pas cette fois.

— Ce soir, c'est moi qui décide.

— Oh, taisez-vous! Gina, ne soyez pas comme cela. Cela vous va très mal!

— Mais vous ne me connaissez pas. Vous avez vu

une seule facette de ma personnalité, celle que vous avez voulu détruire. Vous y êtes parvenu, réjouissez-vous!

Ryan s'immobilisa, ignorant les regards curieux. Puis il la prit par la main et l'entraîna vers la terrasse.

Ils se trouvaient séparés des tables par un treillis couvert de jasmin.

— Nous sommes déjà venus ici! lança Gina Je déteste voir les situations se répéter!

Ryan se pencha. Elle devina qu'il allait l'embrasser. Elle sut contrôler ses réactions. Quand il releva enfin la tête, il déclara :

— Bon travail, n'est-ce pas?

— Pour vous, oui. Vous m'avez beaucoup appris... Peut-être cela me servira-t-il un jour? Je devrais probablement vous en remercier.

— Arrêtez, Gina... fit-il avec douceur.

Cette gentillesse imprévue la réduisit au silence.

— J'ai été trop loin avec vous. Si cela peut vous consoler, je m'en suis voulu depuis...

— Parfait.

— Je ne cherche pas à m'excuser...

— Je n'ai pas besoin de vos excuses!

— Alors que voulez-vous?

— Rien. Rien que vous puissiez me donner.

Sa voix se cassa.

— Ramenez-moi auprès de Neil. C'est tellement merveilleux d'être avec un homme civilisé, pour une fois!

Il crispa les mâchoires.

— Voici le genre de phrases qui me donnent envie de vous apprendre à vivre.

Elle se mit à trembler.

— Quand il s'agit de faire mal, vous savez quels points sensibles il faut toucher. Vous avez tant de pratique!

Il ne répondit pas. Son visage était inexpressif.

— Quand retournez-vous en Angleterre? demanda-t-il enfin.

— Après-demain.

— Vous serez beaucoup mieux là-bas. Maintenant, je vous ramène à la table.

Il marcha à son côté. Il lui prit même le bras pour monter les quelques marches. Mais il semblait très loin...

Neil n'avait pas bougé. Il les considéra avec curiosité.

— J'ai commandé des boissons, déclara-t-il. Je ne savais pas à quel moment nous pourrions manger.

Gina s'assit. Ryan demeura debout.

— Je dois partir. Je te verrai ce week-end, Neil.

Ce dernier haussa les sourcils.

— Tu rentres dans ton île ce soir?

— Non. Je vais aller pêcher pendant un jour ou deux.

Il jeta un coup d'œil moqueur à Gina :

— Bon voyage!

Il disparut. Gina sentait le regard de Neil posé sur elle. Elle n'osait pas lever la tête.

— Mais que se passe-t-il? demanda-t-il enfin.

— Rien.

— Oh, je n'en crois rien! Dites-moi d'aller au diable, dites-moi que cela ne me regarde pas... Mais vous n'arriverez pas à me faire croire qu'il n'y a rien!

Il demeura silencieux pendant un instant.

— Ryan se serait-il... mal conduit?

Gina eut un léger sourire.

— Je ne fais pas partie du nombre de ses conquêtes, répondit-elle.

Elle se sentait intérieurement glacée. Elle avait l'impression que, désormais, rien ne pourrait la réchauffer.

— Il ne peut pas supporter d'être rejeté, ajouta-t-elle un peu malicieusement.

— Il n'en a pas l'habitude. Les femmes lui tombent dans les bras sans qu'il ait à se donner de mal. Cela me fait plaisir d'apprendre qu'il rencontre parfois des échecs.

Elle lui lança un coup d'œil.

— Je vous croyais amis...

— Nous le sommes. Il a deux avantages sur moi : l'âge et la liberté d'aller et de venir à sa guise.

— La liberté d'aller et de venir me semble un avantage. L'âge, pas forcément.

Les prunelles de Neil se mirent à briller.

— Voulez-vous me laisser entendre que vous préférez un homme en âge d'être votre père à un homme en âge d'être votre frère?

— Pourquoi pas? rétorqua-t-elle avec légèreté.

— Je ne vous crois pas. Il me semble que vous faites bon marché de Ryan.

— Si nous parlions d'autre chose?

— C'est une bonne idée. Racontez-moi votre vie à Londres...

Il était plus de onze heures quand ils quittèrent enfin le restaurant.

— Et demain? demanda Neil dans le hall. J'aimerais vous faire visiter Nassau la nuit.

— Non, merci, Neil. C'est gentil, mais je devrai partir après-demain matin très tôt.

— Peut-être est-il préférable, en effet, que nous ne sortions pas ensemble... Je ne sais pas si j'aurais le courage de rester longtemps sage. Vous êtes une jeune fille différente des autres, Gina. Et vous êtes charmante. J'envie l'homme qui saura trouver le chemin de votre cœur.

Cela arriverait-il jamais, maintenant? se demanda Gina en regagnant sa chambre. Elle n'était pas près de se laisser à nouveau émouvoir par un homme.

Elle arriva à Londres à huit heures du matin. Le ciel d'octobre était bleu. L'automne était proche.

L'absence de Marie suscita de nombreuses conversations au bureau. Puis on l'oublia au fil des semaines.

Noël approchait. Il y avait beaucoup de travail. Gina n'avait plus le temps de songer à ses vacances ratées. Tout cela était comme un rêve...

Avait-elle vraiment été aux Bahamas? Y avait-elle

rencontré Ryan Barras? Ou bien tout cela n'avait-il existé que dans son imagination?

Elle passa Noël avec la famille de sa propriétaire. Cette invitation lui fit plaisir : elle n'avait nulle autre part où aller.

Les Robinson avaient trois enfants. Chris, l'aîné était un grand jeune homme blond de vingt-six ans. Il était officier en second dans la Marine Marchande. Sa mère l'adorait.

Il sympathisa immédiatement avec Gina.

— Je vous ai vue une ou deux fois dans l'escalier. Vous habitez ici depuis peu?

— Oui. Avant, je partageais un appartement avec deux autres filles. Mais nous ne nous entendions pas très bien.

— Je peux imaginer! Je sais ce que c'est de partager un dortoir avec d'autres marins!

— Je croyais que les officiers avaient leur propre cabine?

— Oui. Mais j'ai gravi les échelons depuis le bas.

— Depuis toujours, Chris a voulu être marin, déclara sa mère avec un sourire attendri. Je croyais qu'il se serait dirigé vers la Marine Nationale...

Chris fit une petite grimace.

— La discipline y est beaucoup trop sévère! Et les salaires moins élevés... Sais-tu que j'ai posé ma candidature pour un poste dans la navigation de tourisme? On demande un second sur l'*Entreprise*.

Son frère se mit à rire.

— L'*Entreprise!* Quel nom pour un bateau destiné à des croisières!

— On ne l'a pas débaptisé avant de le transformer en hôtel flottant, rétorqua Chris.

— Ce doit être un horrible rafiot...

— Certainement pas. Il a été complètement refait à neuf. Il doit parcourir la Méditerranée en tous sens cet été. Cinq croisières de trois semaines chacune sont prévues. Cela me plairait beaucoup... Imagine! Un bateau plein de jolies filles.

Gina se mit à rire.

— Je vous y vois très bien... En uniforme blanc sur le pont, votre béret posé crânement sur votre tête...

— Casquette! corrigea-t-il.

Il joignit son rire à celui de la jeune fille. Puis il la détailla, appréciant visiblement sa robe rouge à manches longues.

— Si je suis engagé, il faudra venir en croisière, Gina!

— C'est une bonne idée...

Il vint s'asseoir auprès d'elle un peu plus tard.

— J'ai l'impression que ce poste vous tente beaucoup, lui dit-elle.

— C'est exact. Etre officier à bord d'un bateau de croisière, c'est le paradis! Me blâmez-vous?

— Pourquoi donc? Croyez-vous avoir des chances d'être engagé?

— On me l'a dit.

Un sourire détendit ses lèvres.

— Les jeunes filles en croisière ont besoin de rencontrer des hommes comme moi...

— Grand, blond et séduisant, murmura Gina. Vous pourriez faire l'objet d'une campagne publicitaire de la part de votre compagnie de navigation : « Naviguez avec Robinson Crusoé! »

— Oh, ne commencez pas! grommela-t-il. On s'est moqué de moi à ce sujet depuis le jardin d'enfants! Combien de fois ne m'a-t-on pas demandé où était Vendredi!

— Il faut bien que quelqu'un soit la cible des plaisanteries! Sinon, que deviendraient les rieurs?

Chris la regarda pensivement.

— Vous êtes cynique... Est-ce naturel? Ou bien les circonstances vous ont-elles donné ce caractère?

Oh non, ce n'était pas naturel... L'espace d'un instant,

elle se demanda ce que Ryan était en train de faire à cet instant précis.

Elle se força à sourire.

— Disons qu'il m'arrive de temps en temps d'être cynique. Pas toujours, heureusement... J'ai aussi des bons côtés, vous savez!

— J'aimerais les connaître.

Sa voix était devenue brusquement sérieuse.

— Vous n'êtes pas comme les autres filles, Gina... Que faites-vous demain?

— Pas grand-chose, admit-elle.

— Voulez-vous venir voir un match de football avec moi? Ensuite, nous irions dîner.

— Bonne idée! assura-t-elle.

— Magnifique! s'exclama-t-il, ravi de son accord.

Gina ne connaissait pas grand-chose au football. Pourtant elle s'intéressa au match. Cette sortie avec Chris lui faisait l'effet d'un rayon de soleil. Elle avait l'impression de revivre. D'oublier l'atmosphère sombre et pesante de ces dernières semaines. Les mauvais souvenirs allaient-ils enfin disparaître?

Ils allèrent ensuite dîner. Puis Chris l'emmena danser. Gina évita de faire des comparaisons... Elle essaya d'apprécier la compagnie de Chris. Ce n'était pas difficile : il était très sympathique. Ils bavardèrent. Ils rirent. Elle se sentait à l'aise avec lui.

Toute la maison était plongée dans l'obscurité lorsqu'ils rentrèrent. Gina invita le jeune homme à prendre une tasse de café dans son petit appartement.

Elle alluma les lampes et il hocha la tête d'un air approbateur.

— Vous avez joliment meublé ce studio!

Ils continuèrent à bavarder. Il ne tarda pas à la quitter en l'embrassant amicalement. Elle était contente. Elle avait besoin d'une amitié de ce genre. Une amitié à la fois rassurante et chaleureuse.

A partir de ce jour-là, ils se revirent très souvent. Quand Chris repartit, Gina en fut attristée. Il commença à lui écrire régulièrement au cours des semaines suivantes. De longues lettres pleines d'intéressantes descriptions. Elle sentait bien que Chris ne demandait qu'à aller plus loin. Mais elle ne savait à quoi s'en tenir sur ses propres sentiments. Elle répondait aux lettres de Chris sur un ton amical. Il lui était assez difficile de garder leur correspondance sur ce ton. Elle se rendait bien compte que Chris était attiré par elle.

Elle avait obtenu une promotion dans son travail. Elle avait maintenant beaucoup plus de contacts avec les clients. Elle était heureuse de constater qu'elle s'en tirait bien. Plusieurs fois, elle dut sortir avec certains clients importants. Un soir, un cheikh arabe lui offrit en riant de devenir sa femme. Elle raconta l'anecdote à Chris :

Ils ne peuvent avoir que quatre femmes à la fois, écrivit-elle. Il devra divorcer pour pouvoir m'épouser! J'ai décliné son offre fort poliment...

A sa grande surprise, Chris se mit en colère. Il lui conseilla de donner sa démission. Par la suite, Gina évita de lui parler de son travail.

Chris revint vers la mi-mars. Sa candidature avait été acceptée. Il allait embarquer comme second à bord du paquebot de croisières l'*Entreprise.*

Il expliqua à Gina qu'il aurait la possibilité d'inviter certains membres de sa famille, de temps en temps. Il lui fit comprendre à mots couverts qu'il souhaitait l'épouser. Gina le trouvait sympathique, mais elle redoutait de s'engager définitivement. Quand il partit, ce fut en promettant de revenir au cours du mois de juin.

— Nous pourrions nous fiancer officiellement à cette époque, dit-il à la jeune fille.

Au cours des semaines qui suivirent, Gina se demanda pourquoi elle hésitait. Chris possédait toutes les qualités qui font rêver les jeunes filles. Il l'aimait. Il voulait l'épouser. Elle s'entendait parfaitement avec sa famille.

Elle aurait dû être folle de joie! Que lui arrivait-il?

Par un beau matin d'avril, alors qu'elle se trouvait à son bureau, elle fut appelée par Hugh Fisher, son patron.

Celui-ci avait une étrange expression.

— Un client vient d'arriver des Etats-Unis. Pourrez-vous l'emmener dîner, Gina?

La jeune fille sourit.

— Parfois, j'ai l'impression que vous vous trouvez à la tête d'un service d'hôtesses, au lieu d'une agence publicitaire!

— Moi aussi... Acceptez-vous?

— Pourquoi pas? Je n'ai rien de spécial à faire... Qui est-ce?

— Un écrivain...

Il jeta un coup d'œil à son calepin.

— Sam Brownlow.

— Je n'ai jamais entendu parler de lui. Nous n'avons pas encore travaillé pour lui?

— Pas encore.

— Quel est son éditeur?

— Je ne m'en souviens pas...

Il consulta de nouveau son calepin.

— Pourrez-vous passer à son hôtel à huit heures? Il se chargera lui-même de choisir le restaurant...

— On dirait qu'il sait ce qu'il veut, commenta Gina. Je m'étonne qu'il soit obligé de recourir à nos services pour un peu de compagnie...

— Il ne connaît personne à Londres, coupa Hugh. Or, quand on est seul, on se sent encore plus seul dans une grande ville.

Gina le savait mieux que quiconque. En marchant dans les rues animées de la capitale, elle s'était bien souvent sentie solitaire...

Quand les parents de Chris l'avaient invitée à passer Noël avec eux, elle avait eu en quelque sorte l'impression de trouver une famille.

— A quel hôtel est-il descendu? demanda-t-elle.

— Au Hilton.

Gina leva un sourcil.

— Eh bien... Il doit être un bon écrivain!

— Excellent, fit Hugh sèchement. Ou du moins c'est ce qu'on m'a dit. Alors, entendu pour huit heures? Je vais le lui confirmer.

Un peu plus tard, l'un des collègues de travail de la jeune fille fit irruption dans son bureau :

— J'ai deux billets pour la comédie musicale *Evita*. Voulez-vous m'y accompagner ce soir?

Gina secoua la tête avec regret.

— J'aimerais beaucoup voir ce spectacle. Hélas, je suis déjà prise!

— Votre marin est revenu?

— Non. Je dois dîner avec un écrivain.

— Qui règlera l'addition? Lui ou notre firme?

— Je n'en sais rien. Lui, probablement, puisque l'idée vient de lui.

— Quel est son éditeur?

— Je n'en sais rien. Hugh n'a pas parlé de ces détails.

— Vous connaissez quand même son nom!

— Sam Brownlow.

Il secoua la tête.

— Je n'ai jamais entendu parler de lui!

— Moi non plus...

Elle n'avait pas songé à demander à Hugh le titre des œuvres de cet inconnu. Il ne s'en serait probablement pas souvenu. Il passait son temps à compulser ses notes.

En y réfléchissant, Gina commençait à trouver étrange la demande de cet homme. Puisqu'il était assez important pour être logé au Hilton, il était surprenant que son éditeur n'ait pas organisé de dîner en son honneur.

Elle émit un léger soupir. Elle espérait qu'il serait sympathique et pas trop imbu de lui-même. Elle ne demandait pas mieux que de parler avec lui de son travail. Mais elle ne souhaitait pas l'entendre raconter sa vie de A à Z!

Elle quitta le bureau plus tôt que d'ordinaire. Elle

voulait avoir le temps de se changer et d'arriver à l'heure au Hilton.

Il avait plu toute la journée. Mais en fin d'après-midi un timide soleil se montra. Gina prit le métro. Il y avait encore peu de monde à cette heure de la journée. Elle se promit de prendre un taxi pour se rendre au grand hôtel. Elle détestait descendre dans le métro en longue robe. Et de toute façon son taxi lui serait remboursé le lendemain par Hugh.

Mme Robinson ouvrit sa porte en l'entendant rentrer.

— Vous avez une lettre de Chris! annonça-t-elle. J'en ai reçu une également.

— Oh, vous devez être contente!

La mère de Chris s'inquiétait quand son fils oubliait de lui adresser une lettre par semaine. Gina se sentait dans ce cas un peu gênée. Car jamais le jeune homme n'omettait de lui écrire avec régularité.

Elle était, de toute évidence, la première jeune fille à laquelle Chris semblait s'intéresser sérieusement. Et si Mme Robinson l'aimait bien, elle devait cependant s'inquiéter à la pensée d'un prochain mariage. Parce qu'une fois marié, Chris reviendrait beaucoup moins souvent chez lui.

Gina hésitait toujours. Que répondrait-elle au jeune homme? Elle le trouvait très sympathique. Mais était-ce suffisant? On ne décidait pas de se marier sans avoir longuement réfléchi.

— Voulez-vous venir voir la télévision ce soir? proposa Mme Robinson.

— Je voudrais bien, répondit la jeune fille. Mais je dois sortir ce soir. Pour mon travail.

Elle s'était sentie obligée d'ajouter cette explication. Mme Robinson la regardait d'un air quelque peu soupçonneux. Elle n'avait aucune raison de faire des mystères, et elle ajouta :

— Je dois aller dîner avec un écrivain.

— Un homme?

Gina cacha un sourire.

— Oui.
— Encore un Arabe?
Cette fois, la jeune fille ne parvint pas à dissimuler son sourire.
— Non! Il est Américain — je crois. En tous cas, il vient des Etats-Unis.
— Est-il âgé?
— Je l'ignore.
Jusqu'à cet instant, Gina n'y avait pas pensé.
— Je ne le crois pas. C'est un inconnu. En Angleterre, tout au moins.
Et elle continua gentiment :
— Ne vous inquiétez pas, Madame Robinson. Je raconterai tout cela à Chris. Il faut que je me sauve, maintenant. Sinon je n'aurai pas le temps de lire sa lettre.
L'enveloppe avait été postée de Tanger une semaine auparavant. Maintenant, il devait se trouver de l'autre côté de la Méditerranée. C'était sa première traversée à bord de l'*Entreprise*. D'après le ton de ses lettres, son nouveau poste semblait énormément lui plaire. Il avait sa propre table au restaurant, et certains soirs, il avait la possibilité d'y inviter qui il voulait.
« Si tu savais le nombre d'aventures fabuleuses que j'ai refusées depuis que nous avons quitté Southampton », écrivait-il. « Mon uniforme blanc agit comme un aphrodisiaque sur les femmes! Les officiers doivent veiller à l'amusement des passagers, mais demeurer lointains malgré tout. Si je ne pensais pas à toi à chaque instant, je t'avoue que ce règlement me paraîtrait parfois difficile à respecter! D'ailleurs beaucoup d'officiers n'en tiennent aucun compte... »
De toute façon, se dit Gina, Chris était encore tout à fait libre de vivre comme il l'entendait.
Ce changement de travail avait du bon. Il leur permettrait, à tous les deux, de tester leurs sentiments. Si Chris commençait déjà à se sentir « un fil à la patte », cela ne marcherait pas. Ce n'était pas possible.

Elle réserva un taxi par téléphone pour sept heures trente. Puis elle ouvrit son placard. Pour aller au Hilton, elle devait être élégante. Même s'ils ne dînaient pas dans l'un des restaurants de l'hôtel.

Elle choisit une robe de crêpe gris perle. Elle l'avait achetée en solde pour trois fois rien parce qu'elle avait été salie. Une fois nettoyée, elle était devenue magnifique.

Chris l'avait trouvée ravissante, mais avait assuré qu'elle n'aurait pas souvent l'occasion de la porter. Eh bien, le moment était venu!

Elle se chaussa de sandales argentées et se mit autour du cou le collier d'argent qu'elle avait acheté récemment.

Elle était très belle. Ses cheveux avaient poussé au cours des mois derniers. Ils arrivaient à la hauteur de ses épaules.

Elle passa un peu d'ombre bleutée sur ses paupières. Et un peu de mascara sur ses cils, qui étaient fournis et plus foncés que ses cheveux. Ceux-ci avaient gardé quelques reflets du soleil des Bahamas.

Le taxi arriva à l'heure. A huit heures moins cinq, elle pénétrait dans le hall de l'hôtel.

Le réceptionniste lui lança un regard étrange quand elle demanda M. Brownlow.

— Ah oui, dit-il. Vous pouvez vous rendre directement à sa suite.

Une suite! Au Hilton! Gina attendit cette rencontre avec plus d'intérêt. Qui était donc ce Sam Brownlow?

L'ascenseur l'amena à l'étage indiqué. Elle foula une épaisse moquette dans le couloir. Puis elle frappa à la porte.

Elle blêmit quand celle-ci s'ouvrit. Un homme se tenait sur le seuil. Et il la regardait.

— Bonsoir, Gina! dit-il.

7

Gina demeura figée sur place. Puis, brusquement, elle fit demi-tour. Elle n'avait qu'une idée en tête : fuir. Mais Ryan fut plus rapide. Il étendit la main et lui agrippa le bras. Puis il l'attira dans la pièce. Il demeura près de la porte, s'appuyant au battant pour l'empêcher de partir.

Il n'avait pas changé, remarqua-t-elle douloureusement. Il était toujours aussi arrogant, sûr de lui. Sûr d'elle, aussi...

— J'aurais dû deviner, déclara-t-elle froidement. A partir du moment où Hugh a mentionné le Hilton. Fait-il partie du complot?

— Il le fallait bien!

Sa voix était sèche.

— J'ai eu du mal à le décider... Heureusement, je le connais bien.

— Que lui avez-vous dit?

Il haussa les épaules.

— Que nous avions fait connaissance aux Bahamas quelques mois auparavant et que j'aimerais vous faire une surprise.

— Eh bien, vous m'avez surprise. Maintenant, je voudrais partir, s'il vous plaît.

— Pourquoi? Vous avez peur?

— De vous?

Elle le regarda de haut en bas. Elle s'efforçait de ne

pas être sensible à son apparence. Il portait une chemise de soie blanche et un pantalon gris, de la même couleur que sa robe.

Il y a longtemps que j'ai surmonté mes craintes..

— Alors laissez-vous faire.

Il montra le luxueux salon.

— Venez prendre un verre. Nous sortirons ensuite. Nous irons d'abord dîner, puis dans un night-club. Votre robe est parfaite pour la circonstance...

— Je n'ai pas soif, déclara-t-elle. Et je ne désire aller nulle part avec vous.

Il leva les sourcils.

— Mais cela fait partie de vos attributions!

— Seulement si je suis d'accord.

Vous avez accepté. Hugh m'a téléphoné pour me le dire

— Parce que je croyais rencontrer quelqu'un d'autre.

— Je suis toujours un client!

— Pas directement. C'est votre éditeur qui règle nos factures.

— Vous coupez les cheveux en quatre! Je suis sûr qu'Hugh vous dirait de ménager ses clients!

— Nous en avons beaucoup d'autres. Plus importants

— Je vais en parler à mon éditeur. Il sera enchanté d'apprendre que vous le traitez de haut!

— Ce n'est pas ce que j'ai dit! protesta Gina.

— C'est ce que vous avez laissé entendre. N'oubliez pas qu'il existe d'autres sociétés pour s'occuper de la promotion des auteurs!

La jeune fille le fixa longuement. Elle respirait très fort.

— Vous me menacez, dit-elle enfin. Ou bien je vais avec vous ou bien vous demandez à vos éditeurs de changer de public-relations! Vous vous croyez donc tellement important?

— Pour mon éditeur, oui. Il n'y a pas tant d'écrivains de classe internationale...

— Toujours aussi modeste! lança-t-elle avec amertume.

— De la fausse modestie, vous voulez dire? Certainement pas. Je n'écris qu'un livre par an. Il ne faut pas que les lecteurs oublient mon nom entre deux parutions. Ils ont pris l'habitude de me considérer comme l'un de mes héros. Il faut donc leur donner une image de moi correspondant à cela.

— Mais rien de tout cela n'est vrai. Est-ce ce que vous voulez me faire comprendre?

Il y avait de l'ironie dans la voix de la jeune fille

— Tous ces reportages concernant votre vie privée n'ont rien à voir avec vous?

— Parfois, oui. Mais pas aussi souvent. Je ne serais pas assez résistant!

— Comme c'est triste!

Il se mit soudain à rire.

— Si vous croyez m'avoir mis en colère! Si vous pensez que je vais vous jeter dehors!

— Mais pourquoi avez-vous voulu cette rencontre?

— Parce que j'avais envie de vous revoir.

Il l'étudia d'un air approbateur.

— Vous avez changé. Pas seulement vos cheveux . Autre chose.

— J'ai grandi. Mieux vaut tard que jamais. Je vous dois beaucoup de remerciements.

— J'ai été un salaud. Cela n'a cessé de me hanter... C'est pourquoi je voulais vous revoir, pour vous dire...

Il marqua un silence

— Vous souvenez-vous, quand je vous ai revue à l'hôtel? C'était vous que je cherchais. Pas Neil. Je voulais mettre les choses au point avant votre départ. Et puis je vous ai trouvée avec lui. Et j'en ai tiré des conclusions...

— Que vous n'avez pas gardées pour vous! termina Gina.

Elle se souvenait encore de l'expression qu'avait eue l'écrivain quand il s'était approché de leur table.

— Vous aviez l'air de m'en vouloir de vous emmener loin de Neil! poursuivit-il

— Il m'avait gentiment invitée à dîner. Et vous arrivez et m'entraînez avec brutalité.. On aurait cru que vous étiez responsable de moi!

— Je me sentais responsable de vous. J'aurais dû insister pour vous mettre immédiatement dans l'avion pour Londres!

— Jamais je n'aurais consenti à vous emprunter de l'argent! répondit amèrement la jeune fille. A quoi bon revenir là-dessus? Pourquoi avoir monté une telle comédie pour me revoir, Ryan? Vous périssiez d'ennui? Vous avez pensé que je pourrais vous distraire? Je regrette : mon fiancé ne serait pas d'accord

Les yeux gris perdirent un peu de leur assurance.

— Je ne vois pas de bague..

— Nous attendons son prochain retour à Londres. Il est officier à bord d'un bateau qui navigue actuellement en Méditerranée.

— Toutes mes félicitations. Mais je suis sûr qu'il ne trouverait rien à redire à un simple dîner?

— Sera-t-il, simple?

— Gina, je vous assure que je n'ai aucune arrière-pensée! Je vous ai dit que je voulais mettre les choses au point.

Gina le regarda. Son explication était plausible. Il voulait surtout se tranquilliser l'esprit... Et s'il avait mis au point cette comédie, c'était parce qu'il savait qu'elle aurait refusé de le voir s'il lui avait téléphoné en s'annonçant. Il s'était donné beaucoup de mal, au fond Certains hommes n'auraient pas pris tant de peine

Il lui tendit la main

— Amis?

Elle hésita un instant avant de la prendre. Elle s'y décida enfin

— Amis.: fit-elle en écho.

— Parfait. Maintenant, allons dîner!

— Très bien, accepta-t-elle. Puisque je suis ici, de toute façon...

— Nous avons le temps de boire quelque chose. Notre table est réservée pour neuf heures Il ne nous faudra pas plus de quelques minutes pour nous rendre au restaurant en taxi. Que voulez-vous boire Gina?

— Un sherry, s'il vous plaît.

Elle s'assit sur un canapé. Il alla préparer les boissons. Plusieurs bouteilles étaient disposées sur une table proche

Elle le regarda emplir les verres. La chemise de soie et le pantalon bien coupé mettaient en valeur sa silhouette musclée. Elle le revit, nu sur la plage... Il était difficile de croire que tout cela avait réellement existé!

— Vous passez donc la plupart de votre temps aux Etats-Unis? s'enquit-elle.

— Oui. Pourquoi?

— Vous n'avez pas un accent américain très prononcé, mais certaines de vos phrases ont une tournure typiquement américaine.

Il eut un sourire

— Si mon père pouvait m'entendre maintenant, il aurait une attaque!

— Il était très Anglais?

— Au point de détester tout ce qui venait d'un autre pays. Il ne voyageait que contraint et forcé et considérait les étrangers comme des demeurés. Il était très fort à la Bourse, L'un des meilleurs agents de change.. Très respecté.

Il s'était installé auprès d'elle sur le canapé Il parlait avec décontraction.

— J'avais vingt ans lorsqu'il mourut. Il est mort à son bureau, un cigare entre les lèvres..

— Et votre mère?

— Tuée dans un accident de voiture J'avais douze ans.

— Mon père est également mort dans un accident,

dit Gina J'étais très jeune. Je me souviens à peine de lui

— Votre mère a dû avoir du mal à vous élever seule...

— Nous n'avions pas de difficultés financières. Mon père avait songé à se faire assurer.

— Votre mère ne devait pas être très âgée N'a-t-elle pas songé à se remarier?

Gina eut un léger sourire

— Elle n'a aimé qu'un seul homme. Une ou deux fois, pourtant, j'ai cru qu'elle allait refaire sa vie Mais non..

— Peut-être à cause de vous?

— Oh non! J'aurais beaucoup aimé avoir un père. J'aurais été alors comme toutes les filles de l'école.

— C'est donc si important d'être comme tout le monde?

— Pour les enfants, oui. Il m'est même arrivé de raconter à mes petites amies que mon père était toujours vivant. Qu'il travaillait dans les services secrets. Hélas, une petite fille l'a raconté à sa mère. Celle-ci l'a dit à maman. Et je n'ai pas pu continuer à faire croire ma belle histoire..

— Vous avez beaucoup d'imgination! N'avez-vous jamais songé à écrire?

Elle se mit à rire

— Lorsque j'étais enfant, j'ai commencé à rédiger un roman d'aventures *Le Mystère de la Bague...* J'ai été jusqu'à la page deux. On avait déjà découvert la bague Et son propriétaire avait péri dans une mort affreuse

— Déjà à la page deux?

— A neuf ans, il est difficile de ménager des rebondissements...

Elle s'interrompit et le fixa

— Comment vous est venue l'idée d'écrire?

Il haussa les épaules

— Mon premier roman a été accepté du premier coup

— Celui qui avait pour cadre la Jamaïque?

— Oui. J'ai vécu là-bas pendant un an environ. Je pensais à ce livre. Je n'avais qu'à écrire. Il était tout prêt dans ma tête.

Ils parlèrent à bâtons rompus pendant un quart d'heure. Puis Ryan jeta un coup d'œil à sa montre.

— Il est temps de partir. Aimez-vous la cuisine grecque?

— Je ne connais pas.

Gina se sentait tout à fait à l'aise quand ils arrivèrent au restaurant. Si elle oubliait ce qui s'était passé entre eux, elle devait admettre que Ryan était un compagnon très agréable.

Avoir un ami comme Ryan Barras... Ce devait être merveilleux. Chris pourrait-il élever des objections à une telle amitié? Après tout, il ne vivait pas lui-même comme un moine...

Elle avait souvent entendu parler de ce restaurant grec. Mais elle l'avait considéré trop coûteux pour son budget. Ryan y était très connu. On le salua par son nom et on les conduisit à la meilleure table.

Gina regarda autour d'elle. Elle se demanda avec qui Ryan était venu dans ce restaurant la dernière fois..

Elle choisit une brochette d'agneau. La viande était très tendre. Elle avait été grillée avec des champignons, des oignons, des poivrons. On la servit sur du riz. Comme dessert elle prit une salade de fruits à la crème. Puis elle demanda un café turc.

Celui-ci lui parut trop épais et trop sucré.

— Si je reviens ici, je demanderai un café ordinaire, dit-elle à Ryan. A l'exception du café, je me suis régalée. C'était délicieux!

— Je le dirai à Stavros, le propriétaire du restaurant. Il sera enchanté d'avoir une nouvelle adepte! Mais ne me dites pas que c'est la première fois que vous mangez des brochettes!

— Non, bien sûr. C'est cependant la première fois que j'en mange d'aussi bonnes.

— Stavros fait mariner la viande avant de la cuire... C'est une recette secrète. Voulez-vous un cognac?

— Non, merci. Rien d'autre...

Elle rencontra le regard de Ryan. Son cœur se mit à battre.

— Cette soirée a été très agréable, déclara-t-elle.

— Elle n'est pas terminée! Il est à peine dix heures trente et nous sommes vendredi soir. Vous ne travaillez pas demain?

— Pas cette semaine. Mais cela m'arrive.

Elle hésita.

— Il faut que je rentre..

— A cause de votre fiancé? Vous croyez qu'il est déjà au lit, lui?

Gina se mit sur la défensive.

— Il prend son quart de garde à minuit! Cela ne lui laisse pas beaucoup de temps pour s'occuper des passagères...

Ryan leva un sourcil.

— Je n'ai pas voulu dire cela!

— Pas exactement, mais...

— Mais *vous* l'avez pensé!

Il sourit.

— Vous devriez avoir plus confiance, Gina. Si vous épousez cet homme, il ne faut pas douter de lui. A moins qu'il ne laisse tomber son poste pour rester avec vous.

— Il ne le fera pas. Et je ne le lui demanderai jamais Je lui fais confiance!

— Et lui aussi. Cela arrange tout. Allons ailleurs... Je ne vous garderai pas trop longtemps.

Gina pensa que Mme Robinson l'entendrait rentrer. Dès le lendemain, elle devrait lui donner des détails sur sa soirée

Vivre chez les parents de Chris n'était pas une solution idéale. Cependant elle ne pouvait pas déménager. Chris n'aurait pas compris.

La nuit était tiède. Ryan suggéra de marcher :

— Nous n'allons pas bien loin. Mais si vous vous sentez fatiguée nous prendrons un taxi.

En traversant une rue il lui prit la main. Arrivés de l'autre côté il ne la lâcha pas. Elle ne chercha pas à se dégager. Elle était très consciente de ce contact.

De l'extérieur, l'immeuble devant lequel s'arrêta Ryan ne différait pas des autres Quelques marches menaient à une porte décorée de cuivre

A l'intérieur, un homme était assis derrière un bureau d'acajou. Il était en tenue de soirée.

— Monsieur Barras! s'exclama-t-il

Il paraissait ravi de voir l'écrivain.

— Nous n'avons pas l'habitude de vous voir à Londres à cette époque de l'année!

— Il est temps que je change mes habitudes, rétorqua Ryan.

Il fit les présentations.

— Gina, voici Charles Mlle Tierson n'est pas encore venue ici, Charles

— Si elle était déjà venue, je me souviendrais d'elle

Il détailla la jeune fille

— Bienvenue au Club Conley, mademoiselle!

Il ouvrit un grand registre et tendit une plume à Ryan

— J'espère que nous vous reverrons souvent, dit-il à l'adresse de Gina

Ryan signa son propre nom. Puis il écrivit en-dessous celui de la jeune fille. De toute évidence, cet endroit était un club privé auquel n'avaient accès que les membres et leurs invités

Mais quel genre de club?

— N'ayez pas l'air aussi soucieuse! fit Ryan avec amusement.

Ils descendirent un escalier. Des bribes de musique leur parvenaient.

— N'ayez crainte, vous ne risquez pas de trouver une orgie! poursuivit Ryan. Il y a des hôtesses, bien sûr. Celles-ci sont chargées de distraire les isolés. Elles les écoutent raconter leurs malheurs... Cela ne va pas plus loin. Il n'y a même pas un spectacle de strip-tease!

Gina s'efforça de ne pas montrer sa gêne.

— Alors, pourquoi est-ce un club privé?

— A cause des salles de jeu, répondit-il brièvement

Ryan adressa un sourire à la jeune fille chargée du vestiaire .

— Bonsoir, Liz! Vous êtes toujours ici, à ce que je vois!

Elle répondit à son sourire

— Oh, il y a des métiers plus pénibles, Monsieur Barras!

C'était une jeune fille brune de vingt-sept ou vingt-huit ans. Elle n'était pas particulièrement jolie mais avait un visage attirant et chaleureux

— Cela fait plaisir de vous revoir! assura-t-elle à l'écrivain.

Elle se tourna vers Gina Un peu d'envie passa dans ses prunelles.

— Voulez-vous me confier votre veste, mademoiselle?

— Oui...

Gina éprouvait un peu de pitié pour cette jeune fille Celle-ci n'avait pas l'autorisation de quitter son comptoir. Elle entendait seulement à distance les bruits de musique, les rires et les conversations.

Ryan l'aida à ôter son vêtement. Le frôlement de ses doigts sur ses épaules nues lui fit un effet étrange. Cela la brûlait et la glaçait en même temps

La jeune fille avait remarqué son changement d'expression. Elle eut un léger sourire en tendant un ticket en échange de la veste.

— Passez une bonne soirée, dit-elle

Ryan entraîna Gina dans une vaste pièce. Ses yeux eurent du mal à s'habituer à la pénombre. L'atmosphère était enfumée. Les lumières tamisées. Plusieurs couples dansaient sur la piste située au centre. Il y avait beaucoup de monde autour des tables.

Un serveur les conduisit à une table. Gina se glissa sur la confortable banquette. Ryan s'assit auprès d'elle Alors le serveur repoussa l'accoudoir. Ils se trouvaient dans un minuscule cocon..

— Du champagne, commanda Ryan.

— En quel honneur? s'enquit la jeune fille.

— En l'honneur de notre réconciliation, répondit-il d'une voix légère.

Il adressa un signe de la main à un homme qui passait tout près.

— Hello!

L'homme s'approcha. Il semblait surpris.

— Que faites-vous à Londres à cette époque? Je vous attendais en janvier!

— Mon emploi du temps n'est pas si rigide!

Ryan se tourna vers la jeune fille.

— Gina, voici Peter Moffat. Peter... Gina Tierson.

Le nouveau venu lui serra la main Il l'examina d'un air à la fois approbateur et amical.

— Etes-vous Anglaise ou Américaine?

— Anglaise, répondit-elle en riant.

— Parfait! Il est temps que Ryan s'intéresse un peu aux Anglaises! N'en a-t-il pas assez de ces Américaines?

Il adressa un sourire à son ami :

— Jouerez-vous ce soir, Ryan?

— Je ne le crois pas.. Nous irons dans les salles de jeu tout à l'heure.

— Après le tour de chant de Leila? Elle ne va pas tarder à faire son entrée en scène. A tout à l'heure, Ryan!

Gina jeta un coup d'œil rapide à l'écrivain. Celui-ci demeurait impassible. La remarque faite par Peter Moffat au sujet des Américaines avait été lancée comme une plaisanterie. Cependant la jeune fille sentait qu'il y avait là un fond de vérité. Ryan avait certainement connu beaucoup de femmes. Mais en quoi cela la regardait-il? Il n'y avait rien entre eux. S'ils sortaient ensemble ce soir, c'était parce que Ryan avait éprouvé le besoin de se faire pardonner sa conduite. Non, il n'y avait rien d'autre... Rien.

L'arrivée du champagne créa une diversion. Pourtant Gina se sentait vaguement triste. Elle regrettait de ne pas être rentrée directement au lieu d'être venue ici. Elle ne se sentait pas très à l'aise dans ce club. Elle n'avait pas l'habitude d'endroits de ce genre.

La lumière baissa encore. L'orchestre se mit à jouer un air très connu. Des applaudissements retentirent.

Puis une jeune femme rousse vêtue d'une robe en lamé apparut. Elle était grande, sculpturalement moulée dans la robe qui descendait jusqu'à ses chevilles. Un seul projecteur tombait sur elle.

Les applaudissements redoublaient. Elle demeurait immobile. Puis elle eut un signe de tête en guise de remerciement.

Et elle se mit à chanter.

Sa voix était d'une qualité extraordinaire. Gina écouta, oubliant tout ce qui l'entourait. Elle aurait pu rester ici toute la nuit, l'oreille tendue...

Elle n'était pas la seule à éprouver cette sensation. Quand Leila termina sa dernière chanson, un tonnerre d'applaudissements roula dans la salle.

Elle ne fit pas de « bis ». Elle se contenta de sourire et d'envoyer un baiser à la foule. Puis elle disparut.

Gina se tourna vers Ryan, prête à lui dire son enthousiasme. Les mots s'arrêtèrent dans sa gorge L'écrivain, un léger sourire aux lèvres, regardait toujours la scène.

Il arracha une page de son calepin, griffonna quelques mots et la tendit à un serveur.

— Pouvez-vous porter ceci à Leila, s'il vous plaît?

Il se tourna enfin vers la jeune fille Celle-ci s'obligea à soutenir son regard.

— Vous ne m'avez pas envoyé ce livre que vous m'aviez promis, déclara-t-elle.

Sa voix était bizarre...

— Vous avez dû perdre mon adresse, ajouta-t-elle.

— Non!

Il tourna quelques pages et lui montra l'endroit où il avait noté son adresse, le soir de leur première rencontre.

— Je ne vous ai pas envoyé de livre... Cela ne me semblait pas très intelligent après notre séparation peu... peu amicale. Vous l'auriez sûrement jeté aux ordures!

— Certainement pas.

— Pourtant vous me détestiez.

— Pas vraiment.

Il fit une moue ironique. L'espace d'un instant, il redevint l'homme auprès duquel elle avait vécu pendant quelques heures.

Puis il sourit et haussa les épaules.

Soudain, Leila apparut. Sans y être invitée, elle se laissa tomber sur la banquette.

— Du champagne! s'exclama-t-elle. Que fêtes-tu?

— Je change mes habitudes, rétorqua Ryan.

Il demanda une autre coupe.

— Tu as l'air en pleine forme! déclara-t-il en détaillant la jeune femme rousse.

— Oui, oui, fit-elle avec agacement. Dis-moi plutôt comment tu as trouvé mes chansons?

— Demande-le à Gina. C'est la première fois qu'elle t'entend.

Les prunelles bleues de Leila plongèrent dans les yeux verts de la jeune fille

— Vous chantez merveilleusement bien! assura cette dernière. Mais pourquoi chantez-vous dans ce club? Vous devriez être mondialement connue!

Leila se mit à rire.

— Ton amie est sympathique, Ryan! déclara-t-elle.

— Alors réponds-lui. Pourquoi n'es-tu pas plus connue?

Elle haussa les épaules.

— Peut-être devrais-je chercher un meilleur imprésario.

Levant son verre, elle en examina le contenu avec un sourire.

— Au succès! lança-t-elle.

Un instant plus tard elle ajouta :

— Que t'est-il arrivé en janvier, Ryan?

— J'ai changé d'habitudes, t'ai-je déjà dit. D'ailleurs, Londres en janvier n'a rien d'attirant.

— Cela semblait te plaire, pourtant, au cours des cinq dernières années!

— Pas vraiment, répondit-il avec douceur.

Ils échangèrent un long regard plein de compréhension. Un silence s'appesantit. Leila fut la première à le rompre. Elle adressa un coup d'œil étrange à Gina.

— Comment vous entendez-vous avec ce type? lui demanda-t-elle.

— Oh, je n'essaie même pas, répondit la jeune fille.

Sa voix était rauque. Elle sentait qu'il y avait — ou qu'il y avait eu — quelque chose entre Ryan et Leila.

Vue de près, la jeune femme semblait plus âgée que sur scène. Elle devait avoir à peu près l'âge de Ryan. Mais quelle importance cela avait-il? Elle était très belle et elle avait énormément de talent.

Gina tenta de parler d'un ton léger :

— Nous sommes simplement de bons amis.

— Gina va épouser un officier de marine, expliqua Ryan.

La jeune fille lui lança un coup d'œil aigu.

— Vraiment? fit Leila.

Elle se tourna vers Gina. Son expression était indéchiffrable.

— Il accepte que vous sortiez avec d'autres pendant qu'il est en mer? Car je suppose qu'il est en mer actuellement.

Gina essaya de prendre un air nonchalant.

— Ce n'est pas exactement cela.. Ryan et moi ne sommes pas...

Elle hésita. Ryan vint à son secours.

— Elle veut dire que nous ne sommes pas amants,

coupa-t-il. Si elle est ici ce soir, c'est pour me prouver sa bonne volonté.

— Je vois...

Leila reposa son verre.

— Je vais aller me changer. Puis Ronald me ramènera à la maison.

Elle se leva.

— Peut-être ne vous reverrais-je pas, dit-elle à Gina Laissez-moi vous présenter dès maintenant tous mes vœux de bonheur.

— Elle est gentille, fit la jeune fille après le départ de la chanteuse.

— C'est la femme de Ronald, le propriétaire du club, expliqua Ryan.

Sa voix était neutre.

— Ils sont mariés depuis douze ans. Elle ne cherche pas à faire une carrière.. Ronald préfère qu'elle reste au club.

— Je suppose qu'elle est d'accord... murmura Gina d'une voix mal assurée.

— Elle estime que sa carrière passe après son mariage.

— Voilà qui est inhabituel de nos jours!

— Il y a douze ans, les choses étaient légèrement différentes. Et puis Leila savait ce qui l'attendait en épousant Ronald. Elle aurait pu devenir une grande vedette de la chanson. Elle ne semble pas le regretter.

— Son mari est très égoïste!

Ryan haussa les épaules.

— Je comprends le point de vue de Ronald. Pourquoi se marier si c'est pour voir sa femme de temps à autre?

— Vous mettez les choses au pire!

— On ne fait pas une carrière dans le show-business en restant à la maison! De toute façon, Leila est heureuse de chanter ici.

L'était-elle vraiment? se demanda Gina. Elle avait un

talent fou. N'était-il pas dommage de l'enterrer dans ce club où ne venaient que des habitués?

Et Ryan? Où se trouvait sa place dans cette histoire? Gina l'avait deviné... Elle comprenait maintenant pourquoi il ne s'était jamais marié. La façon dont il regardait Leila, la façon dont il lui parlait se passaient d'explications.

Il était amoureux d'une femme mariée.

Mais pourquoi l'avait-il amenée ici ce soir-là? Brusquement, elle se sentit très malheureuse.

— Il est temps que je rentre, déclara-t-elle. Il est plus de minuit.

— Je vais vous reconduire.

Charles ne se trouvait pas derrière son bureau quand ils partirent. Mais Gina devina que si quelqu'un entrait il ferait immédiatement son apparition.

Ils marchèrent un peu avant de trouver un taxi. Ils ne parlaient pas. Ils ne se tenaient pas par la main. Gina savait que Ryan pensait à Leila.

Enfin, un taxi s'arrêta. Ryan ouvrit la porte.

— Il est inutile que vous me raccompagniez, fit Gina. J'habite assez loin. A quoi bon faire un long aller et retour à cette heure tardive?

Il ne chercha pas à discuter. Il se contenta de hocher la tête. Il tint à régler la course lui-même au chauffeur. Puis il revint vers la jeune fille.

— Merci pour cette soirée.

Son sourire était ironique.

— Bonne nuit, Gina.

Le taxi se mit à rouler. La jeune fille résista à l'envie de se retourner pour regarder Ryan. Son cœur était serré. C'était probablement la dernière fois qu'elle le voyait. Elle n'osait pas s'avouer à quel point cette pensée la faisait souffrir.

8

Le week-end parut interminable à Gina. Quand le lundi arriva enfin, elle fut heureuse de retourner au bureau.

Elle ne fit aucune remarque à Hugh Fischer au sujet de sa soirée avec Ryan. Celui-ci parut surpris, mais ne lui posa pas de questions.

C'était un peu comme si rien ne s'était passé. Pourtant le fait de savoir Ryan à Londres rendait Gina malheureuse.

Mme Robinson s'était montrée moins aimable que d'ordinaire le samedi matin. Gina était rentrée tard dans la nuit. Elle n'appréciait pas cela. Elle en parlerait certainement à Chris. La jeune fille se mit donc en devoir de raconter sa soirée au jeune officier. Mais elle évita de lui dire qu'elle connaissait déjà Ryan Barras.

Que répondrait-elle à Chris quand celui-ci lui proposerait clairement de l'épouser? Elle l'ignorait. Ses sentiments à l'égard du jeune homme n'avaient rien à voir avec ceux qu'elle éprouvait pour Ryan. Elle ne reverrait pas ce dernier. Cela ne changeait rien... et puis elle devait être loyale vis-à-vis de Chris.

Mercredi matin, le téléphone sonna alors qu'elle venait de s'installer à son bureau.

« — Gina? »

Reconnaissant la voix de Ryan, elle fut incapable de répondre.

« — Gina? » répéta-t-il. « C'est vous, n'est-ce pas? »

Elle parvint enfin à répondre. D'une voix qu'elle ne se connaissait pas.

« — Oui... Voulez-vous parler à Hugh? »

« — Si j'avais voulu parler à Hugh je l'aurais appelé directement. J'ai un service à vous demander. »

« — Quel service? » demanda-t-elle brusquement.

Ryan marqua une légère pause.

« — Oh, oh... J'ai l'impression que je ferais mieux de ne pas insister... »

Gina était à la fois méfiante et tentée. Elle ne voulait pas que Ryan raccroche..

« — Excusez-moi », murmura-t-elle. « Je ne m'attendais pas à entendre votre voix. Dites-moi toujours ce que vous voulez... »

« — J'ai besoin de quelqu'un pour taper des notes. Naturellement, vous serez payée. »

Elle ne répondit pas immédiatement.

« — Pourquoi ne vous adressez-vous pas à une agence de travail temporaire? » s'enquit-elle enfin.

— Je n'en connais qu'une. Ils ne peuvent m'envoyer personne en ce moment.

« — Pourtant vous êtes un client régulier. »

« — Pas vraiment. Je n'ai utilisé leurs services que très rarement. Je ne suis pas un assez bon client pour qu'ils m'envoient une dactylo immédiatement. »

« — Pourquoi êtes-vous si pressé? Je croyais que vous alliez rester en Angleterre pendant plusieurs semaines. »

« — Quand ai-je dit cela? »

« — Il me semblait.. Peut-être me suis-je trompée... »

« — Je pars pour Nassau le quinze. »

Gina eut l'impression que le monde s'écroulait.

« — C'est la semaine prochaine! »

« — Dans six jours. Je me mettrai au travail dès que je retrouverai l'île. »

L'île... Gina revit le ciel bleu. La mer. Les cocotiers...

« — Il y a moins de six mois que vous avez terminé le livre précédent », remarqua-t-elle.

« — J'ai l'inspiration pour le suivant. »

Il marqua un silence.

« — Acceptez-vous? » demanda-t-il enfin.

« — Quand? » se contenta-t-elle de demander.

« — Si vous pouviez commencer ce soir, ce serait parfait. Il y a beaucoup de travail. Je ferai monter une machine à écrire... Vous pourrez dîner sur place. Je ne serai pas là : ainsi nul ne vous dérangera. »

Gina devait passer la soirée avec les Robinson.

« — Entendu pour ce soir », déclara-t-elle.

« — A quelle heure finissez-vous de travailler? A cinq heures et demie? »

« — Je peux sortir à cinq heures exceptionnellement. »

« — Parfait. Je vous enverrai un taxi et je vous attendrai. Ainsi, je pourrai vous expliquer... »

Son ton était plus léger.

« — Merci, Gina », reprit-il. « Vous m'aidez à résoudre un problème! Cela m'évitera de passer une semaine à mettre de l'ordre dans mes notes. Je pourrai me mettre directement au travail. A tout à l'heure! »

Après avoir raccroché, la jeune fille demeura immobile, le regard perdu au loin. Elle n'était pas raisonnable d'avoir accepté ce travail. Cela ne ferait qu'empirer les choses... Et dans six jours Ryan partirait. Elle ne le reverrait plus. Elle épouserait Chris.

Comme l'avait promis Ryan, un taxi l'attendait. Dix minutes plus tard, elle entrait au Hilton. Elle ne passa pas par la réception. Elle se souvenait du numéro de la suite occupée par Ryan. Elle s'en souviendrait probablement toujours... Elle avait eu un tel choc après avoir frappé à la porte, quelques jours auparavant!

Ryan lui ouvrit la porte lui-même. Cette fois il était vêtu d'un costume bleu marine.

Elle se força à sourire.

— Bonsoir!

— Entrez. Mes notes sont sur le bureau... J'espère que vous saurez lire mon écriture. Dès qu'une idée me vient, je la griffonne sur un bout de papier... Pouvez-vous réunir ensemble toutes les notes ayant trait au même sujet?

— J'essaierai, fit-elle d'une voix impersonnelle.

Elle travaillait pour lui maintenant. Leurs rapports étaient forcément différents.

— Vous pouvez commander ce que vous désirez par téléphone. On vous montera un plateau. Si je ne suis pas rentré avant votre départ, n'hésitez pas à prendre un taxi. Je vous rembourserai.

Il disparut. Gina fixa la porte. S'attendait-il à ce qu'elle travaille pendant toute la nuit? Il était cinq heures et demie. Elle partirait au plus tard à huit heures et demie.

Avant de se mettre au travail, elle téléphona pour demander des sandwiches et du café. Puis elle s'installa devant le bureau.

L'écriture de Ryan était nette, incisive. Une écriture agressive, aurait certainement dit un graphologue. Un homme aux fortes passions. Et pourtant un homme capable de reconnaître ses erreurs. Elle aurait souhaité le comprendre mieux. Pourtant, pour son bien, elle aurait intérêt à l'oublier complètement!

Il ne s'agissait pas de simples notes. Tout le plan d'un roman était là. Dans ses grandes lignes, naturellement. Mais on en devinait déjà la forme.

Absolument passionnée, Gina oublia tout... Les caractères inventés par Ryan s'imposaient à son esprit. S'il s'agissait seulement d'un début, l'œuvre définitive serait très forte. Malgré elle, elle imaginait les dialogues... Ryan était un excellent dialoguiste. Ses personnages parlaient avec naturel. On les sentait « vrais ».

Vers huit heures, le téléphone sonna. Gina abandonna son travail avec peine. Elle se demanda si elle allait répondre ou non. Elle s'y décida enfin :

« — La suite de M. Barras », dit-elle.

Il y eut un silence. Puis une voix rauque que la jeune fille aurait reconnue n'importe où demanda :

« — Je voudrais parler à M. Barras. Est-il là? »

« — Il est sorti ».

A son tour, Gina marqua une pause.

« — Pouvez-vous me laisser un message, madame Conley? »

Il y eut un rire au bout du fil.

« — Vous êtes la jeune fille qui était avec lui l'autre soir! Gina, n'est-ce pas? »

« — Oui. Je travaille pour lui », se sentit obligée de préciser la jeune fille.

« — Son roman! »

« — Tout juste. »

Le rire de Leila retentit de nouveau.

« — Pouvez-vous lui dire que je voudrais le voir le plus rapidement possible? C'est important. »

Une foule de pensées vinrent à la jeune fille. Leila aurait-elle décidé de fausser compagnie à son mari? Ryan représentait-il pour elle une manière de fuir?

Gina repoussa de telles idées. A partir de quelques mots, elle inventait un roman.

« — Comptez sur moi », assura-t-elle. « Si Ryan n'est pas rentré au moment où je partirai je lui laisserai un mot. »

« — Il vous laisse complètement froide, n'est-ce pas? » interrogea Leila.

Sa voix était bizarre.

« — Cela doit être une nouvelle expérience pour lui. Où l'avez-vous rencontré? »

« — Il y a longtemps. Et je l'ai vu alors très peu. Si vous lui posez la question, il vous racontera certainement... »

Gina était incapable de se montrer aimable.

« — Excusez-moi, madame Conley. J'ai beaucoup à faire... »

Ses doigts tremblaient quand elle raccrocha. Elle s'était conduite presque brutalement. Mais elle ne le regrettait pas.

La jalousie était un sentiment horrible. Pourtant, elle

était jalouse. Ryan ne la laissait pas froide. Jamais il ne l'avait laissée froide. Mais il ne lui appartenait pas. Et il lui fallait accepter ce fait

Elle rédigea un court message pour Ryan. Elle le laissa bien en vue sur la machine à écrire. Il ne pouvait pas manquer de le voir

Puis elle s'empara de son sac et quitta la pièce luxueuse sans jeter un regard en arrière. Elle ne reviendrait pas ici. Il n'avait qu'à trouver quelqu'un d'autre!

Elle rentra à neuf heures. Le son de la télévision était poussé au maximum chez les Robinson. Elle l'entendit en passant devant leur porte.

Elle aurait pu sonner et raconter qu'un travail imprévu l'avait obligée à rester tard au bureau. Mais elle n'avait pas envie de voir Mme Robinson ce soir.

Elle avait besoin de réfléchir. Au sujet de son avenir avec Chris. Une fois que Ryan aurait disparu de sa vie, elle essaierait de l'oublier. Cependant, ce n'était pas honnête vis-à-vis de Chris. Elle devait lui expliquer où en étaient ses sentiments. Peut-être aurait-elle besoin d'un certain temps pour y voir clair en elle-même.

Les lettres de Chris arrivaient en général le vendredi ou le samedi. Elle allait laisser les choses en suspens. Elle attendrait sa lettre pour décider.

Le lendemain, elle passa presque toute sa journée hors du bureau. Elle devait organiser des séances de photos pour des groupes de musiciens.

Elle revint vers trois heures et fit à Hugh un rapport de son travail.

— Parfait, répondit-il d'un air absent. Un de vos amis a téléphoné trois fois pendant votre absence. Il faudrait le rappeler.

— S'il s'agit de Ryan Barras, certainement pas, affirma-t-elle avec force.

Hugh lui lança un coup d'œil rapide.

— C'est votre affaire. Cependant laissez-moi vous dire qu'il ne s'estimera pas aussi facilement battu.

Gina hésita sur le seuil.

— Le connaissez-vous très bien, Hugh?

— Je ne l'ai pas vu assez souvent pour dire cela. Nous avons pris un verre de temps en temps... Et je l'ai amené dîner à la maison une ou deux fois. Ma femme et mes filles le trouvent merveilleux!

— Comme la moitié de la population féminine du globe, je suppose!

Hugh eut un petit rire.

— Si vous croyez tout ce qu'on raconte! Je ne vous aurais pas crue aussi crédule, Gina. Un célibataire de trente-quatre ans a eu forcément des aventures. Mais il lui faudrait être Superman pour vivre ainsi que le prétendent certains magazines à scandales!

Le téléphone se mit à sonner. Hugh lança un coup d'œil interrogateur à la jeune fille.

— C'est probablement lui. Il a dit qu'il appellerait après trois heures. Voulez-vous lui parler?

Gina secoua la tête. Elle avait l'impression d'être ridicule.

— Non.

Cependant elle resta près de la porte. Hugh s'empara du récepteur. Il la regardait.

« — Oui, elle est rentrée », dit-il. « Mais elle refuse de vous parler. »

Il écouta. Son visage demeurait inexpressif.

« — Peut-être avez-vous raison », dit-il enfin

Il raccrocha.

— Toujours là, Gina?

— Qu'a-t-il dit?

Hugh haussa les épaules.

— Que les femmes sont des démons.

— C'est tout?

— A quoi vous attendiez-vous?

Elle demeura au bureau jusqu'à six heures pour rattraper le temps perdu. Hugh était toujours là lorsqu'elle partit. Il lui adressa un signe de la main à travers sa porte vitrée.

Le ciel était bleu. Il faisait beau. Gina rêva soudain de fuir dans un endroit inconnu. Dans un coin tranquille où elle pourrait enfin respirer en paix.

Elle redoutait de retrouver la solitude de son petit appartement. Seule Mme Robinson lui rendait visite. Et elle n'avait pas envie de la voir.

Une main se posa sur son bras. Une main dure, autoritaire. Sans même tourner la tête, elle devina à qui cette main appartenait.

— Vous me devez une explication! affirma Ryan.

Il semblait grave.

— Voilà une heure que je vous attends! poursuivit-il.

— J'avais du travail à terminer, expliqua Gina Comment pouvais-je deviner que vous étiez là?

— Je voudrais que vous me disiez ce que signifie cette petite note que vous m'avez laissée hier soir!

Elle tourna la tête et rencontra le regard glacial dans ses prunelles grises.

— J'ai changé d'avis. Il faut que vous trouviez quelqu'un d'autre.

— Je n'en ai pas le temps. Vous avez accepté de faire ce travail.

— J'ai dit que je viendrais hier soir. Je n'ai rien promis de plus.

— Ne discutez pas! Il faut que vous terminiez ce que vous avez commencé!

— Et pourquoi ne le faitez-vous pas vous-même? suggéra-t-elle. Vous savez taper à la machine. Je vous ai vu. Et vous saurez mieux que quiconque mettre de l'ordre dans vos papiers!

Sa voix se durcit.

— A moins que vous n'ayez autre chose à faire.

Il la fixa pendant un long moment. Son expression demeurait accusatrice.

— Nous ne pouvons pas discuter de cela dans la rue. Prenons un taxi.

— Vous n'en trouverez pas à cette heure-là!

— Eh bien allons à pied. Ce n'est pas loin.

— Mais je dois rentrer chez moi! protesta-t-elle. Ryan, je ne veux pas faire ce travail pour vous.

— Pourquoi?

Il lui reprit le bras.

— Nous parlerons de cela plus tard. Venez.

Il eut la chance d'apercevoir un taxi vide auquel il jeta l'adressse du Hilton.

Le salon de la suite était exactement comme hier soir. La machine à écrire était posée sur le bureau. Les papiers entassés à côté.

— Enlevez votre manteau, ordonna-t-il. Avez-vous faim?

— Pas encore.

Elle ôta le manteau vert pâle assorti à sa jupe et le posa sur l'accoudoir d'un fauteuil. Elle demeura debout, le menton levé dans un mouvement de défi. Ses cheveux effleuraient le col de sa blouse de soie crème.

— Je n'ai pas soif non plus, assura-t-elle.

— Je ne vous ai pas offert à boire.

— Votre personnel n'a pas droit à l'alcool?

Il eut un sourire sardonique.

— Je pourrais toujours commander un peu de vin. Que diriez-vous d'un blanc sec bien glacé?

— Vous êtes écœurant, déclara-t-elle avec amertume. Je me demandais combien de temps vous pourriez cacher votre vrai caractère...

— Vous le savez maintenant. Ou du moins vous le pensez.

Il l'étudia. Il semblait préoccupé.

— Quelle est la raison de votre changement, Gina? Hier, vous sembliez d'accord... Vous avez commencé à travailler, je m'en suis rendu compte. Cela vous ennuie donc tant?

— Non, cela ne m'ennuie pas! s'exclama-t-elle, presque indignée.

— Alors il y a eu autre chose...

Il s'interrompit.

— Le coup de téléphone de Leila, peut-être? Elle m'a dit que vous lui avez répondu très froidement.

— J'avais du travail, tout simplement. Je n'avais pas le temps de bavarder. Je vous ai transmis le message. Que voulait-elle de plus?

— Bizarre... J'avais eu l'impression que vous la trouviez sympathique, l'autre soir.

— J'admire son talent. Et sa beauté. Comme la plupart des gens, je suppose.

— Vous êtes très généreuse. Les femmes la jalousent, d'ordinaire.

— Je vous conseille dans ce cas de ne pas lui présenter vos futures « fiancées ». Elles pourraient ne pas apprécier la façon dont vous la regardez.

Gina ne faisait plus attention à ce qu'elle disait.

— Mais la période des « fiancées » est peut-être terminée...

Les yeux gris de Ryan s'illuminèrent.

— C'est donc cela! Vous avez cru que Leila allait me demander de l'emmener! Et cela vous a fait quelque chose...

— Pas du tout! s'écria la jeune fille avec véhémence.

Elle avait nié avec trop de violence. Un lent sourire détendit les lèvres de Ryan. Il s'avança vers elle. Elle étendit les mains en avant pour l'empêcher d'avancer.

— Non, Ryan. Laissez-moi!

— Pas question.

Il l'attira contre lui. Sa bouche trouva celle de la jeune fille. Il la maintenait très fort, l'empêchant de se dégager. Mais elle n'en avait plus envie. Elle répondit à ses baisers avec ardeur. Elle n'avait pas le courage de le repousser. Les regrets seraient pour plus tard. Pour l'instant, elle le désirait trop. Elle l'avait toujours désiré. Elle le désirerait toujours.

Quand il la souleva pour la porter sur le canapé elle ne protesta pas. Son visage était tout proche du sien. Des petites flammes dansaient dans les prunelles grises.

Elle ouvrit la bouche pour murmurer son nom. Alors,

soudain, son corps se raidit. Des souvenirs lui revenaient. Tout recommençait! D'ici un instant Ryan se redresserait et la regarderait avec un mépris indicible. Tandis qu'elle resterait sans défense sous son regard...

Cette fois, elle ne lui en laisserait pas le temps!

Elle le repoussa avec violence. Il fut pris par surprise et n'eut pas le temps de réagir. Elle s'assit.

— Pourquoi? demanda-t-il d'une voix dure.

— Parce que je vous le dois, répondit-elle avec rudesse. C'est moche, n'est-ce pas?

Son visage se durcit. Son expression se figea en un masque effrayant. Un muscle se mit à frémir près de sa bouche.

— Espèce de petite mégère! grogna-t-il. Vous l'avez fait exprès!

— Maintenant, vous saurez ce que l'on ressent!

— Vous croyez m'avoir prouvé quelque chose? Non, vous ne m'avez rien prouvé, sinon votre entêtement! Vous êtes une véritable tête de mule!

Sa colère semblait être tombée. Mais ses yeux demeuraient menaçants.

— Il y a cinq minutes, vous ne jouiez pas la comédie! Votre corps était consentant, Gina. Même si votre tête ne suivait pas... Je me demande qui l'emporterait sur une longue distance... Le désir ou la volonté?

— Je n'en sais rien, murmura-t-elle.

Elle ne voulait plus le faire souffrir. Elle avait maintenant honte d'elle-même

— Laissez-moi partir, Ryan. Je voudrais rentrer chez moi

— En êtes-vous sûre?

Son expression demeurait indéchiffrable.

— Croyez-vous vraiment pouvoir vous contenter de votre marin?

— Je n'en sais rien. De toute façon, dans le mariage, il n'y a pas que le sexe qui compte.

— Qu'y a-t-il d'autre?

— L'accord des caractères.

— Et quoi encore?

Il la retenait par les épaules, l'empêchant de s'échapper.

Elle soutint son regard sans ciller.

— La sécurité.

— Peut-être auriez-vous dû mentionner ce point en premier lieu. Cela a l'air très important pour vous.

— Tout le monde a besoin de se sentir en sécurité.

— Même si la sécurité est synonyme d'ennui?

Il attendit un moment. Il l'étudiait. Puis il ajouta plus doucement :

— Il y a une chose que vous avez passée sous silence. Celle à laquelle tant de femmes attachent de l'importance, pourtant. Vous n'êtes donc pas amoureuse de ce Chris?

Elle rougit violemment.

— Bien sûr que si! C'est évident. Tellement évident que je n'ai pas besoin d'en parler!

— Vous mentez.

Il avait parlé d'une voix neutre.

— Vous avez trouvé un homme capable de vous faire vivre d'une manière qui vous convient à peu près, poursuivit-il. Comme rien de mieux ne s'offrait à vous, vous avez accepté. Je me souviens combien l'attitude de votre amie Marie vous choquait. Laissez-moi vous dire que vous ne valez pas mieux qu'elle.

Il avait raison. Elle le savait. Elle ne pouvait pas épouser Chris. Elle ne l'aimait pas. Sans amour, le reste n'était pas suffisant.

Elle s'efforça de parler d'un ton léger.

— Et que me suggérez-vous?

Il parla avec un tel calme qu'elle crut à peine ce qu'elle entendait :

— Vous partez avec moi la semaine prochaine.

Combien de temps demeura-t-elle immobile, les yeux plongés dans les siens? Gina n'aurait su le dire. Des minutes interminables? Ou seulement des secondes?

— Ce n'est pas une plaisanterie à faire, parvint-elle enfin à dire.

Il eut un petit sourire.

— Je ne plaisante pas. Mon offre est sérieuse. Bien sûr, je ne vous propose pas la sécurité. Je n'ai pas l'impression non plus que nous soyons toujours d'accord... Mais nous pourrons nous arranger. Vous savez déjà ce qu'il me faut : une femme invisible le jour et présente la nuit!

Gina ne parvenait pas à croire qu'il parlait sérieusement. Des événements de ce genre n'arrivaient pas à des jeunes filles comme elle. Et pourtant, sept mois plus tôt elle avait vécu des aventures extraordinaires.

Ce que Ryan lui proposait n'était pas si fantastique...

— Je vous demande de devenir ma maîtresse, reprit-il. Le terme peut sembler un peu vieillot. C'est cependant celui qui me vient à l'esprit... A moins que vous ne préfériez cette expression : « Vivre dans le péché? »

— Arrêtez!

La colère venait d'envahir brutalement la jeune fille. Ryan l'avait profondément blessée. Elle souffrait terriblement.

— Vous êtes devenu fou! Croyez-vous réellement que j'accepterai de descendre si bas?

— Votre vie n'aura rien de désagréable. Nous passerons les week-ends à Nassau. Pendant la semaine, vous pourrez vous baigner, vous étendre au soleil pendant que je travaillerai. Et la nuit...

Il s'interrompit et sourit.

— La nuit... Eh bien, nous verrons.

Il y avait un certain sous-entendu dans son sourire. Elle ne parvenait pas à déceler ce qu'il signifiait. Ce n'était pas de l'humour, non. Mais quoi?

— Vous aviez prévu tout cela, n'est-ce pas? demanda-t-elle avec amertume. Vous saviez ce que vous alliez me proposer!

— Exact. Je suis venu à Londres pour vous. Remarquez, je ne m'attendais pas à ce que vous m'annonciez vos fiançailles... Mais j'ai rapidement compris que votre décision pouvait être modifiée.

— Pourquoi moi? demanda-t-elle sombrement. Il y a des dizaines de filles qui sauteraient sur l'occasion!

— Mais ce n'est pas elles qui m'intéressent. J'ai essayé pendant sept mois d'oublier une certaine petite blonde. Sans succès! C'est la seule façon de m'en guérir!

— Non. Car je n'accepte pas.

— Vous allez épouser Chris?

— Quelle que soit ma décision, vous ne serez pas ici pour le savoir. Maintenant, voulez-vous me laisser partir, s'il vous plaît?

— Pas avant d'avoir ajouté quelques arguments à ma proposition...

Elle tenta de se débattre. Mais il était le plus fort. Il l'enlaça et l'embrassa. Quand il la lâcha enfin, elle n'avait plus la force de lui résister, sinon en paroles

— Je vous hais, murmura-t-elle fièrement.

Il eut un sourire.

— Je le sais. Cependant vous me désirez autant que je vous désire. Je veux que vous veniez sur l'île avec moi, Gina.

— Pour combien de temps? demanda-t-elle malgré elle.

— Nous verrons...

Qui pouvait établir une limite dans le temps à une telle relation? Celle-ci pouvait durer une semaine. Un mois... Peut-être même plus. Mais la rupture viendrait forcément.

— Je maintiens ma réponse, c'est non! déclara-t-elle.

— Pensez-y. Vous avez jusqu'à mardi.

Il se mit debout. Il était grand, mince, arrogant. Il dominait totalement la situation.

Gina se redressa péniblement.

— Et qu'avez-vous décidé au sujet de ce travail? demanda-t-elle en indiquant la machine à écrire

Il secoua la tête avec ironie.

— N'y pensez plus. C'était une ruse pour vous faire

venir ici. J'ai l'habitude de travailler directement sur mes notes.

— J'aurais dû les brûler! lança-t-elle.

— Si vous aviez fait cela, je me trouverais probablement en prison pour meurtre!

Il se dirigea vers le téléphone.

— Je vais demander un taxi.

Il eut une brève conversation puis se tourna vers la jeune fille.

— Un taxi vous attend devant l'hôtel. Je suppose que vous ne tenez pas à ce que je descende avec vous?

— Non.

La jeune fille boutonna son manteau et s'empara de son sac à main.

Elle s'obligea à regarder l'écrivain.

— Au revoir, Ryan.

— Je vous téléphonerai.

— La réponse sera invariable.

Il haussa les épaules.

— Nous verrons.

Elle ne chercha pas à discuter plus longtemps. A quoi bon? Lorsqu'elle se trouvait à ses côtés elle perdait la tête. Mais une fois qu'il serait loin, tout serait différent. Les choses n'auraient pas été les mêmes si elle avait été amoureuse de lui. Mais elle ne l'était pas. Comment aurait-elle pu aimer un homme qui la traitait ainsi?

9

Elle se posa cette question de nombreuses fois au cours des jours qui suivirent. La lettre de Chris, qu'elle reçut le samedi, ne l'aida pas à résoudre son problème.

Chris semblait ravi de son nouveau poste. Il venait de quitter la Grèce et se dirigeait vers la Sicile. Puis ce serait Naples où les passagers débarqueraient.

Le bateau devait se trouver à Naples maintenant, se dit Gina. Où il attendait les nouveaux passagers. Il ne reviendrait pas à Southampton avant la fin de la belle saison. Mais Chris retournerait à Londres par avion en juin. Trois mois en mer, et un mois de repos. D'après la façon dont il parlait de ces trois mois de travail, il paraissait les trouver très agréables!

Gina prit une décision au cours de ce week-end. Il ne lui semblait pas honnête d'attendre le retour de Chris pour lui dire ce qu'elle avait à lui dire.

Et puis il fallait qu'elle trouve un autre logement. Etant donné les circonstances, elle ne pouvait pas rester chez les Robinson.

La solution que lui avait proposée Ryan ne lui convenait pas. Même s'il était sérieux — ce dont elle n'était pas absolument sûre —, elle ne pouvait pas accepter. Lorsqu'il se lasserait d'elle, elle souffrirait trop. Les hommes comme Ryan avaient des aventures. Pas de liaisons stables. Il fallait qu'il trouve quelqu'un d'autre pour distraire sa solitude!

Gina eut beaucoup de mal à rédiger la lettre destinée à Chris. Elle voulait lui parler franchement sans lui faire de peine. Ce n'était pas facile!

Avec ironie, elle se dit qu'elle aurait dû demander à Ryan d'écrire cette missive pour elle! Il aurait su exactement quoi dire...

Ce dernier lui téléphona au bureau dans l'après-midi du lundi. Alors qu'elle avait réussi à se convaincre que tout cela n'était qu'une sinistre plaisanterie.

— Ne me donnez pas votre réponse maintenant, Gina. Venez dîner avec moi ce soir. Vous me direz alors...

— Ce soir ou maintenant, ce sera la même chose.

Elle essaya de se durcir. Le seul son de la voix de Ryan lui faisait mal.

— Je ne veux plus vous voir, Ryan.

— Vous craignez de fléchir?

— Si vous voulez...

A quoi bon le nier?

— Alors vous allez épouser Chris? demanda-t-il.

— Oui, prétendit-elle. Vous pouvez me présenter vos vœux de bonheur!

Il y eut un silence.

— Si vous changez d'avis, reprit Ryan, vous trouverez un billet d'avion à votre nom dans l'agence de voyage proche de votre bureau. Ce billet sera valable pour un mois à partir de demain.

— Lorsqu'on vous répond non, cela ne vous suffit pas?

— Il faut croire que non.

Il marqua une pause. Quand il recommença à parler, sa voix était chargée de cynisme.

— On dirait que je me suis trompé d'adresse... Au revoir, Gina!

Il raccrocha. Le déclic atteignit douloureusement la jeune fille. Elle essaya de se réjouir : tout était fini. Mais elle n'y parvint pas. Elle souhaitait désespérément pouvoir partir avec lui le lendemain. Cependant elle ne se sentait pas assez de courage pour affronter une telle existence.

Pendant tout le reste de la semaine, elle se consacra exclusivement à son travail. Elle eut du mal à éviter les Robinson. Elle s'arrangea pour passer la plupart de ses soirées en ville. Et le matin, quand Mme Robinson l'abordait, elle prétendait être trop pressée pour avoir le temps de bavarder.

Bien sûr, il lui faudrait les mettre au courant. Mais elle préférait auparavant attendre la réponse de Chris. Et elle ne se sentait pas assez de courage pour se conduire comme si de rien n'était avec ses parents.

Le vendredi matin, elle reçut un coup de téléphone de Leila Conley.

« — Je voudrais vous voir », lui dit la chanteuse. « Pouvons-nous nous rencontrer après votre travail? »

« — Pour parler de quoi? » demanda Gina froidement.

« — De Ryan. Je crois que vous vous êtes trompée sur l'amitié qui nous lie, lui et moi. »

« — Cela n'a plus d'importance », répondit Gina. « Il est parti. »

« — Mais c'est important pour moi! » rétorqua Leila. « Je vous attendrai devant votre bureau à six heures. Maintenant, je dois vous laisser : j'ai une répétition. »

Gina, après avoir longuement hésité, quitta le bureau à six heures. Leila l'attendait. Sa chevelure rousse était massée sous un petit chapeau. Elle portait des vêtements style junior. son maquillage était impeccable.

Gina devina qu'elle était plus âgée que Ryan. Peut-être avait-elle cinq ou six ans de plus que l'écrivain. Mais cela ne voulait rien dire. Beaucoup d'hommes se sentaient attirés par des femmes plus âgées.

— Marchons, proposa Leila.

— Qu'avez-vous à me dire? lui demanda Gina.

— Je ne sais pas comment commencer! déclara-t-elle avec un sourire. Je dois d'abord vous certifier qu'il n'y a rien entre Ryan et moi. Quand je lui ai téléphoné l'autre soir, c'était simplement pour lui demander un conseil. Rien d'autre... Vous savez, je songeais sérieusement à quitter Ronald et à me consacrer à ma carrière. C'est le moment ou jamais... Quand une femme atteint quarante ans, elle commence à regretter ce qu'elle n'a pas eu le temps de faire...

Il y avait de l'envie dans ses prunelles.

— Vous avez la vie devant vous. Ne perdez pas de temps!

Gina ne trouva rien à répondre. Elle croyait Leila. Celle-ci semblait sincère. Peut-être, autrefois, y avait-il eu entre Ryan et Leila autre chose qu'une simple amitié. Mais cela, elle ne le saurait jamais.

— Que vous a conseillé Ryan? demanda-t-elle enfin.

Leila se mit à rire.

— Il m'a nettement dit qu'il était trop tard.

— Trop tard!

L'indignation envahit la jeune fille.

— Vous avez une voix merveilleuse. Et nul ne vous donnerait quarante ans!

— Merci.

La voix de la jeune femme était un peu sèche.

— Ryan voulait dire qu'il était trop tard pour entreprendre une vraie carrière, déclara-t-elle. Vous travaillez dans une agence de publicité, vous devez pouvoir comprendre cela. Il y a dix ans, c'était encore possible. Plus maintenant. Je dois me contenter de mon sort.

— Vous devez avoir beaucoup aimé votre mari, fit Gina avec douceur.

— Oui. Et je l'aime toujours. Pourtant, il m'arrive parfois de souhaiter ne l'avoir jamais rencontré. Mais si je réfléchis, je dois admettre que notre mariage est réussi.

Elle lança un coup d'œil de côté à la jeune fille

— Cette conversation vous rend-elle service?

— Non, fit Gina. Est-ce Ryan qui vous a demandé de venir me parler?

— Non. L'idée vient de moi. Ryan m'a dit vous avoir proposé le mariage. Vous avez refusé.

— Le mariage?

Ce fut au tour de Gina d'éclater de rire.

— Ou bien il vous a menti. Ou bien vous avez mal compris. Il m'a demandé de partir avec lui. Jamais il n'a été question de mariage.

— Oh...

Leila parut surprise. Une étrange expression marquait sa physionomie.

— Est-il trop tard vous accepter son offre? demanda-t-elle enfin.

— Non. Un billet d'avion valable pendant un mois m'attend dans une agence de voyage. Pour le cas où je changerais d'avis.

— Et vous n'en avez pas l'intention?

— Non. Que feriez-vous à ma place?

— Je ne sais pas. Il tient vraiment à vous... C'est un début. Vous savez, les grands chênes poussent d'un gland minuscule...

Leila eut un faible sourire.

— Vous n'allez pas le rendre amoureux de vous à des milliers de kilomètres de distance! ajouta-t-elle.

— Il n'est pas prouvé non plus que j'y arriverais en étant près de lui!

— C'est à vous de forcer la chance. A condition que vous l'aimiez.

Elle leva la main.

— Je ne vous pose pas de questions. C'est votre affaire... Tout dépend de vous. Moi, je tenais à vous affirmer qu'il n'y avait rien entre Ryan et moi. Me croyez-vous?

— Oui.

— Parfait. Maintenant, je vous le répète, tout dépend de vous!

Elle jeta un coup d'œil à sa montre.

— Il faut que je me sauve!

— Merci, murmura Gina. Même si vous n'avez pas bien réalisé quelles étaient les intentions de Ryan.

Leila sourit et agita la main.

— Rappelez-vous de ce que je vous ai dit. Ne perdez pas de temps!

Cela pouvait être compris de deux façons, se dit Gina en continuant à marcher lentement. Elle pouvait perdre du temps en allant vivre auprès de Ryan. Jusqu'à ce que celui-ci en ait assez...

Mais cela n'en valait-il pas la peine malgré tout? murmura une petite voix intérieure. Quelques mois de paradis n'étaient-ils pas préférables à rien du tout?

Elle rentra chez elle à sept heures. Elle n'avait pas envie de passer une soirée solitaire de plus en ville.

Mme Robinson dut l'entendre rentrer. Pourtant sa porte demeura close. Gina ne pouvait pas lui en vouloir. C'était elle qui avait évité ses propriétaires au cours des jours précédents.

Il y avait une lettre de Chris dans sa boîte. Elle enleva son manteau et se fit un peu de café avant de l'ouvrir.

Elle la lut enfin. Deux fois de suite... Puis elle s'assit. Elle essaya de définir ce qu'elle ressentait. Un choc, certes. Mais pas de chagrin. En réalité, elle se sentait plutôt soulagée.

Car Chris lui disait à peu près ce qu'elle lui avait écrit elle-même une semaine auparavant. A des milliers de kilomètres de distance, ils avaient eu le même cheminement de pensée. La coïncidence était incroyable!

Ne me juge pas trop mal, lui écrivait-il. *Je te trouve toujours différente de toutes les autres. Cependant j'ai besoin de quelques années de liberté avant de me décider pour de bon. J'espère que tu sauras me comprendre...*

Oh oui, elle le comprenait. Plus qu'il ne pourrait jamais le deviner! Il voulait s'amuser pendant qu'il en avait l'occasion, sans avoir mauvaise conscience. Pourquoi pas? Au moins il était honnête avec lui-même. Et avec elle également.

Il devait maintenant avoir reçu sa lettre. Elle se demandait ce qu'il pensait. Cela n'avait plus d'importance... Tous deux étaient libres comme l'air. Libres de faire ce qu'ils voulaient.

On frappa à la porte. C'était Mme Robinson. Son visage rond était soucieux.

— Voulez-vous un peu de café? proposa Gina. Je viens d'en faire.

— Oui, s'il vous plaît...

Elle regardait la lettre de Chris. Gina l'avait laissée sur l'accoudoir de son fauteuil.

— Je ne sais pas quoi dire! fit Mme Robinson. Ce garçon mériterait d'être battu! Comment a-t-il pu faire une chose pareille?

Ainsi Chris avait également prévenu sa mère. Peut-être s'attendait-il à ce qu'elle aide la jeune fille à surmonter le choc?

— Chris n'a rien fait de mal, déclara Gina. Tout le monde à le droit de changer d'avis.

Mme Robinson parut surprise.

— Vous ne semblez pas bouleversée...

— Parce que la lettre de Chris m'a soulagée, en quelque sorte.

Mme Robinson lui adressa un regard stupéfait.

— Vous comprenez, poursuivit Gina, nous avons tous les deux compris notre erreur. J'ai écrit à Chris le même jour que lui, en lui disant à peu près la même chose.

Mme Robinson ne répondit pas tout de suite. Elle était en proie à une émotion visible. Elle semblait soulagée, certes. Mais également indignée.

Gina dissimula un petit sourire. Mme Robinson la jugeait beaucoup plus mal que son fils. Qu'on puisse rejeter son Chris adoré, c'était presque une insulte!

— Evidemment, fit enfin Mme Robinson, il est préférable que vous rompiez maintenant plutôt qu'après vous être mariés!

— Je suis de votre avis.

Elle hésita un instant avant d'ajouter.

— Voyez-vous un inconvénient à ce que je cherche un autre appartement? Je crois que... que ce serait préférable.

— Chris ne reviendra pas souvent. Au moment de Noël il fera des croisières en Amérique du Sud. Puis il ira aux Canaries.

— Je le sais. Mais j'aimerais autant être ailleurs.

— Faites pour le mieux.

Elle marqua un silence avant d'ajouter tristement :

— Vous allez me manquer. Enfin, vous savez ce que vous voulez...

Gina en était moins sûre.

Lorsqu'elle se retrouva seule, elle tenta d'écarter Ryan de ses pensées. C'était impossible. Alors elle ne fit plus d'efforts. Elle laissa son esprit errer au gré de sa fantaisie. Elle revécut les jours passés sur l'île. La beauté du paysage. Le lagon... La petite maison confortable malgré tout.

Puis elle se rappela des bras de Ryan autour d'elle. Ses baisers. Et le trouble qu'il avait su éveiller en elle. Elle crut entendre de nouveau sa voix. Elle revit ses yeux intenses. Et aussi la mèche qui tombait sur son front, qu'elle aurait aimé rejeter en arrière du bout des doigts.

Il pouvait être tellement différent, suivant les instants. Elle aimait tous les aspects de sa personnalité. Oui. Elle l'*aimait*. Si elle ne l'avait pas admis auparavant, c'était parce qu'elle n'avait pas osé.

« Ne perdez pas de temps, » avait dit Leila. Et aussi : « C'est à vous de forcer la chance. »

Oserait-elle?

A trois heures du matin, elle prit une décision. Leila avait raison. Peut-être parviendrait-elle à se faire aimer de Ryan. Et si elle n'y parvenait pas... Oh, elle verrait bien.

L'avion atterrit à Nassau quinze jours plus tard, Ryan l'attendait. Quand elle l'aperçut, elle eut envie de

faire immédiatement demi-tour pour rentrer à Londres.
Il semblait différent...
— Neil vous dit bonjour, dit-il en manœuvrant la luxueuse voiture hors du parking. Il a dû partir pour affaires. Il m'a prêté sa maison. J'ai pensé que vous aimeriez passer quelques jours à Nassau avant de vous rendre dans l'île.
— Avez-vous commencé votre livre?
— Non.
Il pinça les lèvres.
— Je n'ai pas pu m'y mettre. J'avais autre chose en tête.
Il lui lança un coup d'œil rapide.
— Votre lettre ne donnait pas beaucoup de détails. Comment Hugh a-t-il réagi?
— Il n'a rien dit.
— Il savait où vous alliez?
— Je ne lui ai pas fait de confidences. Mais il semblait au courant.
— Ce n'est pas moi.
Gina le croyait. Ryan n'était pas homme à se vanter de ses conquêtes. Surtout par courrier.
— Je n'ai eu que quinze jours de préavis à faire.
— C'est gentil de sa part.
— N'est-ce pas?
La conversation était tellement guindée qu'elle en devenait ridicule. Gina se demanda avec désespoir pourquoi elle était venue. Elle connaissait à peine cet homme.
Elle fixa ses mains posées sur le volant. Elle avait mis son existence entre ces mains. N'était-elle pas folle?
A travers les pins s'élevait la silhouette squelettique d'une éolienne. Elle se souvenait combien elle avait trouvé ce paysage désolé, la première fois qu'elle était venue ici. Les alentours de l'aéroport étaient mortels.
Elle se demanda où pouvait se trouver Marie maintenant. Peut-être était-il préférable qu'elle l'ignore.
La maison de Neil se trouvait sur la côte est de

Nassau. C'était une maison de style colonial. Des colonnes blanches soutenaient un balcon. La mer était turquoise, étincelante sous les rayons du soleil. Dans un jardin tropical se trouvait une grande piscine ovale.

— Cela vous plaît-il? demanda Ryan.

— C'est magnifique. Neil doit se sentir perdu ici, seul avec trois domestiques.

— Il va vendre cette maison. Il a rencontré une veuve à Miami. Celle-ci ne veut pas quitter les Etats-Unis.

— Elle changerait probablement d'avis si elle voyait cet endroit!

— Cela m'étonnerait. Apparemment, sa maison est une fois et demie plus grande que celle-ci. Avec une plage privée.

— Neil a de la chance!

— Je ne connais pas cette femme. Alors je ne peux vous répondre... Neil semble content.

Ryan s'approcha d'elle. Il posa ses mains sur ses épaules. Ses yeux gris avaient une expression étrange.

— Voilà ce que j'aurais dû faire à l'aéroport. Mais vous ne sembliez pas prête...

Gina ferma les yeux quand il l'attira contre lui. Son baiser la rassura.

— Je croyais que vous aviez changé d'avis, murmura-t-elle quand il la lâcha. Vous aviez l'air tellement indifférent!

— Je ne suis pas une girouette.

Gina aurait voulu le croire. Il semblait sûr de lui. Pour le moment...

— Où est Pal? demanda-t-elle soudain. L'avez-vous laissé seul sur l'île?

— Il est dans un chenil. Nous irons le chercher avant d'embarquer. Que diriez-vous d'un bain maintenant? Vous aurez tout le temps de sécher vos cheveux avant de sortir ce soir.

Elle eut une expression inquiète et il sourit.

— Il est temps que vous connaissiez le vrai Nassau!

Et ensuite ils reviendraient ici. Ils partageraient ce

grand lit... Gina aurait préféré qu'ils partent directement pour l'île. Tout aurait été différent là-bas.

Ryan alla se changer dans la salle de bains. Elle chercha un bikini dans l'une de ses valises. Ryan lui lança un épais peignoir de bain.

— Je vous retrouverai près de la piscine. Prenez ce peignoir, c'est plus confortable qu'une serviette.

Le bikini était jaune. Elle regretta de ne pas être bronzée. Mais elle ne tarderait pas à acquérir un beau hâle. Ryan ne lui avait-il pas dit qu'elle n'aurait pas autre chose à faire qu'à se baigner ou à s'étendre au soleil? Ce serait seulement la nuit qu'elle aurait à... à accomplir son devoir.

Ryan était déjà dans l'eau lorsqu'elle arriva.

— J'ai commandé du thé et des sandwiches.

La jeune fille se débarrassa de son peignoir et plongea. L'eau était tiède. Quand elle émergea, Ryan avait disparu. Il sortit de l'eau à ses côtés. Il l'enlaça. Son baiser fut d'abord très tendre. Puis passionné. Elle y répondit avec ardeur. Il dégrafa soudain le haut de son maillot.

— Oh, les domestiques! protesta-t-elle.

Elle essaya de le repousser.

— Ryan!

Il s'empara du léger vêtement et le jeta au loin. Puis il la reprit dans ses bras.

— Tant pis pour les domestiques! Pourquoi n'êtes-vous pas venue plus tôt?

— Ce n'était pas possible. Oh, Ryan, je vous en prie...

Il lui embrassa les seins.

— Il faudra bien que vous en preniez l'habitude...

Elle parvint enfin à sortir de l'eau et se drapa dans son peignoir. Elle en noua hâtivement la ceinture. Elle ne pouvait pas se plaindre... C'était elle qui était venue. De son plein gré.

Ryan avait expliqué très clairement ce qu'il attendait d'elle. Rien n'avait été laissé dans l'ombre...

Elle s'installa sur l'une des confortables chaises longues. Ryan continuait à nager. Elle lui en voulait presque : il avait tant de pouvoir sur elle!

Un domestique d'un certain âge apporta un plateau. Il était poli, mais très lointain. Gina se sentit mal à l'aise. Les domestiques savaient probablement que Ryan et elle n'étaient pas mariés. Que pensaient-ils d'elle?

Ryan la rejoignit.

— Joseph sait faire le thé à l'anglaise.

— Je crois qu'il nous désapprouve, déclara Gina.

— Joseph? Cela vous ennuie?

— Un peu.

Il y eut un silence.

— Peut-être aurions-nous dû aller directement sur l'île, déclara Ryan d'une voix dure. Il est trop tard ce soir.

— Nous pourrions y aller demain.

— C'est ce que vous voulez?

— Oui, répondit-elle sans le regarder.

Il posa sa tasse.

— Vous devriez aller vous reposer. Vous devez être fatiguée après ce long voyage. Vous devriez porter cette robe grise... Celle que vous aviez le soir où nous sommes allés au club.

Un instant, Gina se demanda si elle allait lui parler de la conversation qu'elle avait eue avec Leila. Elle décida que non et se leva.

— C'est vrai, je me sens un peu fatiguée, admit-elle.

Ce ne fut qu'une fois dans la chambre qu'elle s'aperçut qu'elle avait oublié le haut de son bikini près de la piscine. Qu'allait dire Joseph? Peut-être Ryan songerait-il à le remonter? Mais Ryan, lui, se moquait de ce que pouvait penser Joseph.

Elle prit une douche, Puis se lava les cheveux. Ses yeux étaient cernés. Cela n'avait rien d'étonnant après ces heures de vol interminables. Elle s'allongea et s'endormit.

Il faisait nuit quand elle s'éveilla. Des sons, des

parfums familiers filtraient à travers les persiennes. Il était sept heures moins le quart. Elle se sentait reposée. Mais pas plus heureuse...

Elle était déjà habillée quand Ryan monta se changer. Il ne protesta pas quand elle lui dit qu'elle l'attendrait en bas. Mais un sourire sardonique se dessina sur ses lèvres.

Elle descendit. Le salon était immense. Il donnait sur une vaste terrasse dallée, et dominait la piscine et le jardin.

Joseph vint lui demander si elle désirait boire quelque chose. Elle refusa puis demanda impulsivement :

— Travaillez-vous depuis longtemps pour M. Davids?

— Depuis qu'il habite cette maison, madame. C'est-à-dire depuis quinze ans.

Sa voix était neutre. Son visage demeurait inexpressif. Gina devinait qu'il jugeait mal sa présence ici. Pour lui, c'était presque un affront.

Ryan la rejoignit. Il portait un pantalon noir et une veste blanche. Le cœur de Gina se mit à battre à tout rompre.

Désespérément, elle souhaita que les choses aient été différentes. Si seulement ils avaient pu se rencontrer dans des circonstances autres... Si seulement ils avaient pu s'aimer normalement... Alors ces heures auraient été le début d'une merveilleuse lune de miel, au lieu d'une sordide aventure. Oui, sordide. Il n'y avait rien d'admirable dans cette histoire.

Elle sut alors ce qu'elle avait à faire. Ce qu'elle devait faire pour conserver l'estime d'elle-même.

Le dîner était certainement excellent. Mais Gina le trouva pratiquement dénué de goût. Elle n'accepta qu'un seul verre de vin. Elle devait garder ses idées claires... Car ce qu'elle avait à dire ne serait pas facile. Mais il n'y avait pas d'autre solution.

Après avoir terminé leur café, ils allèrent danser.

— Vous n'avez pas l'air de vous amuser, remarqua Ryan. Voulez-vous rentrer?

— Oui. Mais auparavant, je voudrais vous parler, Ryan.

Il la fixa.

— A quel sujet?

— Pas ici, s'il vous plaît.

Quelques minutes plus tard, ils reprenaient la voiture. Ryan se dirigea vers une plage déserte.

— Je vous écoute.

Gina prit une profonde inspiration.

— Je voudrais rentrer en Angleterre, dit-elle calmement. Je sais que c'est beaucoup demander. Vous avez déjà payé mon voyage à l'aller. Mais je vous rembourserai tout, à condition que vous m'en laissiez le temps.

— Pourquoi?

Sa voix était douce.

— Quelle est la raison de cette brusque décision, Gina?

Elle le regarda. Sa gorge se serra quand ses yeux rencontrèrent les prunelles grises. Elle lui devait la vérité. Il ne se contenterait pas d'un simple prétexte. Oh, elle savait déjà quelle serait sa réaction... Il sourierait et hausserait les épaules. Peut-être sans trop d'ironie. Et puis il lui dirait si elle pouvait ou non partir. S'il refusait, elle ne savait pas ce qu'elle ferait.

— Je ne peux pas... murmura-t-elle.

Elle eut un rire sans joie.

— C'est insensé lorsqu'on y réfléchit. Je ne peux pas épouser Chris parce que je ne l'aime pas. Et je ne peux pas rester avec vous parce que je vous aime.

Elle fixait maintenant la mer. La lune la couvrait de reflets argentés. Le sable de la plage semblait très blanc. Ryan posa sa main sous son menton et l'obligea à lui faire face. Elle ne résista pas. Dans l'obscurité le visage de l'écrivain paraissait impénétrable.

— En quoi l'amour peut-il changer les choses?

— Parce que ce que je ressens pour vous n'est pas

une simple attraction physique. Je croyais que j'aurais assez de courage, mais... Mais je ne peux pas. Cet après-midi, à la piscine, quand Joseph me regardait... avec mépris... Je me sentais comme... comme une prostituée!

— Quand vous êtes-vous aperçue que vous étiez amoureuse de moi? demanda Ryan.

— Avant de vous écrire pour vous annoncer mon arrivée. Sinon je ne serais pas venue.

— Et maintenant vous voulez repartir. Pour la même raison!

— Oui.

Il ne voulait donc pas comprendre? Croyait-il seulement un mot de ce qu'elle lui avait dit?

— Cela vous a coûté très cher, et...

— La barbe avec ces histoires d'argent!

Il semblait furieux. Mais sa rage ne s'adressait pas à la jeune fille. Il la lâcha et eut un rire dur.

— Après tout, je l'ai bien cherché, en vous faisant venir ainsi! C'était vraiment un sale tour!

— Un sale tour? s'étonna-t-elle.

— Oui.

Il marqua un silence.

— Si je vous avais demandé de m'épouser lorsque nous étions à Londres, reprit-il, qu'auriez-vous répondu?

Elle demeura immobile, incapable de comprendre où il voulait en venir.

— Je ne sais pas, dit-elle enfin.

— Eh bien je n'ai pas osé me risquer. Si vous m'aviez dit « oui » je n'aurais jamais su le fond de votre pensée. En effet, auriez-vous accepté parce que vous me considériez comme une meilleure affaire que Chris?

— Comment auriez-vous pu croire cela! s'exclama-t-elle.

— Vous étiez physiquement attirée par moi. C'était évident. Mais était-ce plus profond? Je n'en étais pas sûr, étant donné votre façon d'être toujours sur la défensive!

— Je craignais que vous ne recommenciez à... à me faire mal. Je n'ai pas réussi à oublier...

— Moi non plus. Je n'ai jamais autant regretté une de mes actions. C'est pourquoi je tenais à vous revoir. J'ai cru qu'il était trop tard quand vous m'avez annoncé vos fiançailles.

— Puis vous avez compris que je n'étais pas vraiment amoureuse de Chris.

Elle soupira et se retourna. Le profil de Ryan se découpait, net, volontaire.

— Ryan, vouliez-vous vraiment que nous vivions ensemble ici?

— Jusqu'à ce que je sois sûr de vos sentiments pour moi, oui. Et vous êtes venue, malgré le manque de sécurité. Mais vous sembliez tellement lointaine, à l'aéroport!

— Je commençais à prendre vraiment conscience de ce qu'impliquait ma décision. Je n'étais pas lointaine. J'étais bouleversée. J'essayais de ne pas vous le montrer.

D'une main tremblante, elle toucha son épaule.

— Ryan...

Il la fixa longuement. Puis son visage s'adoucit et il l'attira dans ses bras.

— Je vous aime, Gina. Et je vous désire... Mais pas maintenant...

Sa voix était tendre.

— Où voulez-vous que nous passions notre lune de miel?

— Je connais une petite île, pas loin d'ici... murmura Gina rêveusement. C'est le paradis sur terre! D'ailleurs, n'est-ce pas là que tout a commencé?

— Non. Tout a commencé quelques jours auparavant. Il y avait en face de moi une jeune fille... Elle me regardait avec des yeux bleus intenses. Des yeux plus bleus que des saphirs. Je voulais la revoir, mais elle m'a devancé...

— Et vous a immédiatement offensé!

— Oui... Vous savez, je me suis autant puni que vous

cette nuit-là... Quand je vous ai laissée. Je vous désirais follement!

Il l'écarta légèrement de lui et déclara d'un ton déterminé :

— A partir de maintenant, j'ai décidé de supprimer de mes livres certaines scènes osées. Celles qui n'ont pas de raison d'être.

Il lui caressa la joue.

— Mais je vais avoir du mal à me concentrer, vous sachant tout près! Mon travail s'en ressentira!

— Non, assura-t-elle. Je ne vous dérangerai pas. Je serai une parfaite femme d'écrivain. Vous verrez!

— Je crois qu'il faudra patienter un jour ou deux pour obtenir la licence de mariage. D'ici là, je pourrai m'installer dans une autre chambre, chez Neil...

C'était autant une déclaration qu'une question.

— Devrons-nous rester dans cette maison demain? demanda Gina avec douceur. Je voudrais aller dans l'île avec vous Ryan. Dans *notre* île... Je veux nager dans le lagon... Vous aimer sous les étoiles... Nous pourrons toujours revenir plus tard signer ces quelques papiers!

Ryan sourit.

— Me faites-vous confiance?

— Oui. Je vous fais confiance... Pour toute la vie! Notre mariage durera toujours, n'est-ce pas?

Il l'embrassa avec amour, avec passion.

— Vous pouvez en être certaine, mon âme.

Étude du VERSEAU

par Madame HARLEQUIN

(20 janvier-18 février)

Signe d'Air.
Maître planétaire : Uranus.
Pierres : Améthyste, Opale.
Couleurs : Violet, Bleu pâle.
Métal : Platine.

Traits dominants .

Gentillesse.
Esprit large et compréhensif.
Sens de l'amitié et de la fidélité.
Besoin d'indépendance mais crainte
de la solitude.

VERSEAU

(20 janvier—18 février)

Est-ce la crainte de la solitude qui a poussé Gina à entreprendre ce voyage en compagnie d'une personne qu'elle ne connaissait guère? Toujours est-il qu'elle confond largeur d'esprit et témérité, amitié et confiance aveugle, au point de manquer perdre sa vie.

Le Verseau a besoin d'une ancre, malgré son esprit d'indépendance, et Gina trouvera enfin un havre de paix auprès de Ryan.

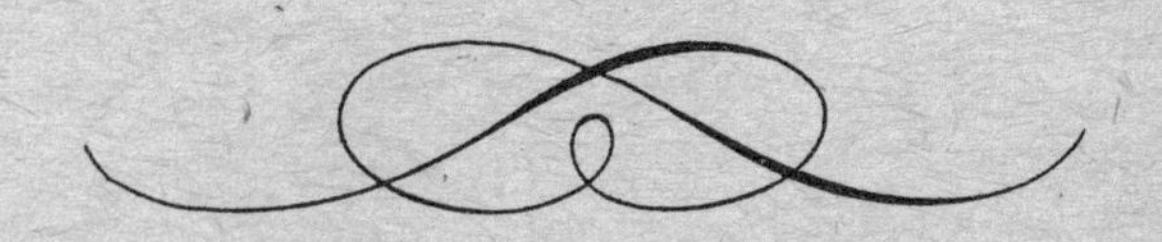

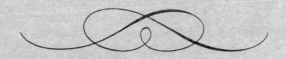

Commandez les titres que vous n'avez pas eu l'occasion de lire...

46 La rebelle appr' 'oisée
Anhe Hampson

47 La haine aux deux visages
Roberta Leigh

48 Le Château des Fleurs
Margaret Rome

49 La Tour des Quatre Vents
Elizabeth Hunter

50 Arènes ardentes
Flora Kidd

51 La sirène du désert
Margaret Rome

52 En un long corps à corps
Charlotte Lamb

53 Pour le malheur et pour le pire
Janet Dailey

54 L'aigle aux yeux vides
Anne Hampson

55 Une étoile au coeur
Roberta Leigh

56 Sortilège antillais
Violet Winspear

57 Le dernier des Mallory
Kay Thorpe

58 Le ranch de la solitude
Elizabeth Graham

59 Le piège du dépit
Rosemary Carter

60 Sous l'aile du dragon
Sara Craven

61 La maison des amulettes
Margery Hilton

62 Une jeune fille en bleu
Katrina Britt

63 La fleur fragile du destin
Stella Frances Nel

64 Les survivants du Nevada
Janet Dailey

65 L'oasis du barbare
Charlotte Lamb

66 La passagère de l'angoisse
Anne Hampson

67 La rose des Medicis
Anne Mather

68 Le val aux sources
Janet Dailey

69 Tremblement de coeur
Sara Craven

70 Comme un corps sans âme
Anne Weale

71 Au grand galop d'une roulotte
Margaret Rome

72 Le Seigneur de l'Amazone
Kay Thorpe

75 Après la nuit revient l'aurore
Margery Hilton

76 Les noces de Satan
Violet Winspear

77 La Montagne aux Aigles
Margaret Rome

80 Le Châtelain des montagnes
Anne Mather

81 Flammes d'automne
Janet Dailey

82 Le chemin du diable
Violet Winspear

83 La malédiction des Mayas
Sara Craven

84 Trop belle Annabel
Anne Weale

85 Le coeur s'égare
Elizabeth Graham